Luna de lobos

Novela

Biografía

Julio Llamazares nació en el desaparecido pueblo de Vegamián (León) en 1955. Licenciado en Derecho, abandonó muy pronto el ejercicio de la abogacía para dedicarse al periodismo escrito, radiofónico y televisivo en Madrid, ciudad donde reside. Ha publicado dos libros de poemas, *La lentitud de los bueyes* (1979) y *Memoria de la nieve* (1982), que obtuvo el Premio Jorge Guillén, y un insólito ensayo narrativo: *El entierro de Genarín* (1981). Ha reunido sus principales artículos en el volumen *En Babia* (Seix Barral, 1991). Es autor de las novelas *Luna de lobos* (Seix Barral, 1985), *La lluvia amarilla* (Seix Barral, 1988) y *Escenas de cine mudo* (Seix Barral, 1993), que le han situado entre las figuras más destacadas de la narrativa española actual.

Julio Llamazares

Luna de lobos

Seix Barral

Provença, 260. 08008 Barcelona (España)

Ilustración de la cubierta: «Codo con codo», de Badía-Vilató, París, 1947
Fotografía del autor: © Maartje Geels
Primera edición en esta presentación en Colección Booket: octubre de 2001
Segunda edición en esta presentación en Colección Booket: abril de 2002

Depósito legal: B. 18.197-2002
ISBN: 84-322-1613-5
Impreso en: Liberdúplex, S. L.
Encuadernado por: Liberdúplex, S. L.
Printed in Spain - Impreso en España

En el otoño de 1937, derrumbado el frente republicano de Asturias y con el mar negando ya toda posibilidad de retroceso, cientos de huidos se refugian en las frondosas y escarpadas soledades de la Cordillera Cantábrica con el único objetivo de escapar a la represión del ejército vencedor y esperar el momento propicio para reagruparse y reemprender la lucha o para escapar a alguna de las zonas del país que aún permanecían bajo control gubernamental.

Muchos de ellos quedarían para siempre, abatidos por las balas, en cualquier lugar de aquellas en otro tiempo pacíficas montañas. Otros, los menos, conseguirían tras múltiples penalidades alcanzar la frontera y el exilio. Pero todos, sin excepción, dejaron en el empeño los mejores años de sus vidas y una estela imborrable y legendaria en la memoria popular.

Primera parte

1937

Capítulo I

Al atardecer, cantó el urogallo en los hayedos cercanos. El cierzo se detuvo repentinamente, se enredó entre las ramas doloridas de los árboles y desgajó de cuajo las últimas hojas del otoño.

Entonces fue cuando, por fin, cesó la lluvia negra que, desde hacía varios días, azotaba con violencia las montañas.

Ramiro se ha sentado junto a la puerta del chozo de pastores donde nos refugiamos anteanoche huyendo de la lluvia y de la muerte. Mientras aprieta morosa y ritualmente con los dedos el cigarro que yo acabo de liarle, contempla absorto la riada de piedras y de barro que el aguacero arrastra por la ladera de la montaña. Al contraluz lechoso y gris del cielo que atardece, su silueta se recorta en la abertura de la puerta como el perfil de un animal inmóvil, quizá muerto.

—Bueno. Parece que esto se acaba —dice.

Y mira brevemente hacia el rincón donde su hermano, Gildo y yo, acurrucados junto a la hoguera de leña verde y amarga, intentamos en vano protegernos de la lluvia que se cuela por la techumbre hacia el interior.

—En cuanto baje la noche, cruzamos el puerto —dice Ramiro encendiendo su cigarro—. Al amanecer, estaremos ya al otro lado.

Gildo sonríe desde el fondo de sus ojos grises, bajo el pasamontañas. Arroja otro manojo de ramas a la hoguera. Las llamas brotan, alegres y amorosas, en la espiral del humo que sube al encuentro con la lluvia a través de los cuelmos empapados.

No ha salido hoy tampoco la luna. La noche es sólo una mancha negra y fría sobre el perfil de los hayedos que trepan monte arriba, entre la niebla, como fantasmagóricos ejércitos de hielo. Huele a romero y a helechos machacados.

Las botas chapotean sobre el barro buscando a cada paso la superficie indescifrable de la tierra. Las metralletas brillan, como lunas de hierro, en la oscuridad.

Vamos subiendo hacia el puerto de Amarza: hacia el techo del mundo y de la soledad.

De pronto, Ramiro se detiene entre las urces. Olfatea la noche como un lobo herido.

Su única mano señala en la distancia algún punto inconcreto delante de nosotros.

—¿Qué pasa? —la voz de Gildo es apenas un murmullo entre el quejido helado de la niebla.

—Allí, arriba. ¿No lo oís?

El cierzo silba monte abajo azotando las urces y el silencio. Llena la noche con su aullido.

—Es el cierzo —le digo.

—No. No es el cierzo. Es un perro. ¿No lo oís ahora?

Ahora sí. Ahora lo he escuchado claramente: un ladrido lejano, triste, como un quejido. Un ladrido que la niebla prolonga y arrastra por el monte.

Gildo descuelga su metralleta sin hacer ruido.

—Pues, en este tiempo —dice—, no quedan ya pastores en los puertos.

Los cuatro tenemos ya empuñadas nuestras armas e, inmóviles, buscamos en el cierzo el crujido inesperado de una rama, una palabra aislada, quizá una sombra quieta y acechante entre la niebla.

El ladrido vuelve a oírse, ahora con nitidez, frente a nosotros. No hay ya ninguna duda: un perro está royendo las entrañas heladas de la noche del puerto.

Los ladridos nos han guiado en medio de la oscuridad,

por el sendero que atraviesa brezales y piornos, hacia la línea gris del horizonte.

Cerca ya, Ramiro hace un gesto con la mano. Su hermano, Gildo y yo nos desplegamos con rapidez hacia los lados. La ascensión es ahora mucho más lenta y penosa: sin la oscura referencia del sendero y con los matojos agarrándose a nuestros pies como garras de animales enterrados en el barro.

La sombra de Ramiro, en el sendero, ha vuelto a detenerse. El perro ladra ya a escasos metros de nosotros.

Sobre la raya gris del horizonte, tras un mojón de robles, se dibuja, imprecisa y helada, la sombra de un tejado que flota entre la niebla.

La majada, en lo alto del puerto, es un montón de tapias arruinadas. Hasta nosotros llega un olor intenso a estiércol y abandono. A soledad.

Los ladridos amenazan con reventar el vientre hinchado de la noche.

—¿Hay alguien ahí?

La voz de Gildo retumba en el silencio como pólvora húmeda. Obliga a enmudecer al mismo tiempo al perro y la ventisca.

—¡Eh! ¿Hay alguien ahí?

Otra vez el silencio: denso y profundo. Indestructible.

La puerta cruje amargamente al entornarse. Parece adormecida. El haz de la linterna rasga con lentitud la profunda oscuridad de la majada. Nada. No hay nadie. Sólo los ojos aterrados del perro en un rincón.

Ramiro y Juan salen de entre los robles y comienzan a acercarse.

—Aquí no hay nadie —dice Gildo.

—¿Y el perro?

—No sé. Ahí está. Solo. Muerto de miedo.

Un quejido apenas perceptible llega desde el rincón que nuevamente inunda el haz de la linterna.

Juan se acerca al perro con cuidado:

—Tranquilo, tranquilo. No tengas miedo. ¿Dónde está tu amo?

El animal se encoge en la paja con los ojos inundados de pánico.

—Tiene una pata rota —dice Juan—. Han debido dejarle abandonado.

Ramiro enfunda su pistola:

—Mátale. Que no sufra más.

Juan mira a su hermano con incredulidad.

—Es lo que tenía que haber hecho su dueño antes de irse —dice Ramiro dejándose caer pesadamente sobre un montón de paja.

La paja está empapada, apelmazada por la humedad. Cruje bajo mi cuerpo como pan tierno. Afuera, el cierzo continúa azotando con violencia los brezos y los robles. Gime sobre el tejado del redil y se aleja monte abajo buscando la memoria de la noche.

Frente a la puerta abierta, colgado de una rama, se balancea suavemente el cuerpo hinchado y negro del perro ahorcado.

Alguien ha encendido una luz en la casa, al fondo del valle que se recuesta mansamente sobre las estribaciones de la vertiente sur del puerto. El murmullo del río recién nacido llega hasta nosotros con un sonido dulce de mimbrales.

Pronto amanecerá. Pronto amanecerá y, para entonces, habremos de estar escondidos. La luz del sol no es buena para los muertos.

—Yo bajaré delante —Ramiro se levanta del cercado de piedra en que se había sentado—. Vosotros tres os quedaréis junto al río, cubriéndome la retirada. ¿De acuerdo?

Gildo y Juan golpean con sus gruesas botas la hierba mojada tratando de ahuyentar el frío.

Lentamente, comenzamos a descender hacia el valle cuyos prados más altos trepan ya monte arriba a nuestro encuentro.

El río viene crecido por las lluvias de los últimos

días. Ruge, sombrío, bajo la pontona de madera que Ramiro acaba de cruzar agachado, despacio, sin hacer ruido. Como un cazador que, con el tiempo, hubiera acabado adoptando los movimientos animales de sus presas.

Pero los perros ya han barruntado su presencia y, en la ventana que arroja sobre el agua un borbotón granate, no tarda en recortarse la figura de un hombre alertado por los ladridos.

Ramiro se aplasta contra la pared del caserío.

—¿Quién anda ahí?

La voz del hombre llega hasta nosotros amortiguada por la escarcha de los cristales y el bramido del río.

Ramiro no contesta.

Ahora, una segunda figura —una mujer— se asoma a la ventana. Parecen discutir mientras escrutan, temerosos, las sombras de la noche delante de la casa. Luego, ambos desaparecen y, un instante después, la luz se apaga. A mi lado, entre los mimbrales, Gildo y Juan se revuelven inquietos e impacientes.

Una puerta. El crujido de una puerta. Y un grito atravesando el río:

—¡Quieto donde está o le meto un tiro!

Los tres nos abalanzamos por la pontona en dirección al caserío. Los ladridos de los perros arrecian en el corral.

Cuando llegamos, la pistola de Ramiro encañona la mirada de un hombre traspasado de terror y de frío.

Un puchero de leche, un puchero ennegrecido y viejo borbotea sobre el fuego llenando la cocina de vapor. La cocina está tibia todavía, pero el rumor de los troncos ardiendo y la espiral de humo rojo y oloroso que se eleva de los platos aleja de nosotros el frío de la noche y el recuerdo de la lluvia. Y los cuatro comemos ahora con las armas olvidadas sobre el respaldo de las piernas y la memoria atravesada por antiguos sabores familiares.

Hacía cinco días que no probábamos bocado.

La mujer, arrebujada bajo un chal negro y con el pelo descuidadamente recogido, posa el puchero de la leche en el centro de la mesa y regresa otra vez junto a la trébede, al lado del marido. Es una mujer delgada, de pelo y ojos claros, todavía hermosa más allá de la tristeza que anida en sus labios borrosos y en su vientre inmensamente hinchado. Desde que entró en la cocina, no ha dicho una sola palabra. Ni siquiera nos ha mirado.

Ramiro termina de comer y se recuesta en el respaldo del escaño.

—¿No vive nadie más aquí? —pregunta al matrimonio.

—Ahora no —contesta el hombre—. Los niños están en La Moraña, con sus abuelos. Allí hay menos peligro. Y el criado está en el monte con las vacas.

—¿Cuándo vuelve?

—Mañana.

Gildo vierte la leche en el plato para ver cómo se forma una cenefa roja por los bordes.

—Me gustaba hacerlo de niño —dice sonriendo.

La leche está caliente y espesa. Desciende como una llama por mi garganta.

Por la contraventana, se cuela ya la primera luz del alba. Es blanca y agridulce como el vapor de leche que llena la cocina.

—Bien —Ramiro se levanta y se acerca a la ventana—. Hoy dormiremos aquí. Cuando anochezca, seguiremos camino. Ustedes —dice, dirigiéndose a los dueños del caserío— atiendan a sus labores como si nada extraño sucediera. Y cuidado con lo que hacen. Uno de nosotros estará siempre vigilándoles.

El hombre asiente en silencio, sin atreverse siquiera a levantar la mirada del suelo.

Pero es la mujer la que ha roto, por fin, a llorar. Apenas logro entender sus palabras ahogadas entre las lágrimas:

—Pero ¿qué hemos hecho, Dios mío? ¿Qué hemos hecho? Ya os hemos dado de comer. Habéis comido y os habéis calentado junto al fuego. Ahora marchaos y dejadnos en paz. Nosotros no tenemos la culpa de lo que os pase.

La mujer se ha dejado caer llorando en el escaño,

ocultando la cara entre las manos. Siento el murmullo amargo de su llanto y el temblor desacompasado de su vientre junto a mí.

El marido la mira desde la trébede, temeroso y desconcertado, esperando nuestra reacción.

La reacción le llega por boca de Ramiro que ha desenfundado su pistola y le conmina a dirigirse hacia la puerta. Nosotros recogemos los capotes y las armas y le seguimos en silencio.

Antes de salir, me vuelvo todavía para mirar a la mujer, que continúa llorando en el escaño, ahora ya con mansedumbre. Me gustaría decirle que nada va a sucederles. Me gustaría decirle que tampoco nosotros tenemos la culpa de lo que nos pasa. Pero sé que de nada serviría.

Capítulo II

Durante dos largas noches, hemos caminado sin descanso a través de las montañas en busca de la tierra que hace un año abandonamos.

Por el día, dormimos escondidos entre los matorrales. Y, al anochecer, cuando las sombras comenzaron a extenderse por el cielo, hambrientos y cansados, nos pusimos en camino nuevamente.

Atrás, dormidos en las simas de los valles poseídos por la luna, fueron quedando pueblos y aldeas, rediles y caseríos: luces apenas, desmayadas en la noche, sobre los cauces tajados de los ríos o al abrigo desolado y vertical de las montañas.

Hasta que el cielo y los senderos y los bosques comenzaron poco a poco a hacerse familiares. Hasta que, al fin, pasadas ya las negras crestas de Morana, bajo la lámina de arándanos y estrellas de la noche de octubre, aparecieron ante nosotros los tejados lejanos de La Llánava, al comienzo del ancho valle veteado de choperas que el río Susarón abre al pie del monte Illarga.

—Mira allí, Ángel. Junto al molino.

Ramiro se arrastra entre las urces para acercarme los prismáticos. En un instante, mis ojos se salpican de verdes y amarillos: prados mojados junto al río, hileras de negrillos, viejos tejados sobre los que se alzan mansamente las columnas de humo de las chimeneas de La Llánava. En un alud de imágenes —hatos de vacas y caminos perezosos, puentes, torres, corrales y callejas, figuras ya inclinadas sobre las hazas de los huertos—, la distancia me devuelve a través de los cristales los paisajes familiares que nunca había olvidado.

—En el camino —me guía Ramiro, impaciente, con la mano—. Al lado de la presa. ¿No la ves?

Sobre la bruma lenta del amanecer, entre las sebes que bordean el camino del molino, descubro al fin una mancha amarilla. Un pañuelo.

—¡Mi hermana!

—Sí, es Juana. Debe de llevar las vacas al prado de Las Llamas.

Ahora puedo verla ya con absoluta nitidez: caminando despacio junto a la presa, con la aguijada en la mano y el pañuelo amarillo desgarrando la luz de la mañana. Recuerdo ese pañuelo. Yo mismo se lo regalé, con el primero de mis sueldos, para que se lo pusiera cuando volvía de la era sobre el carro cargado de paja y de sol lento.

—Voy a bajar —les digo, decidido.

—¿Ahora?

—Ahora.

Ramiro recorre otra vez con los prismáticos todo el valle.

—Es muy peligroso —dice—. Puede verte alguien desde abajo.

—Con cuidado, entre los matorrales, no. Hablo con Juana para que estén preparados y, esta noche, bajamos ya los cuatro.

Gildo esconde entre las urces el capote que acabo de quitarme.

—Deja aquí la metralleta —dice Ramiro dándome su pistola—. Bajarás mejor con esto.

Los tres me ven marchar en silencio, nerviosos ante la posibilidad de que alguien me descubra. La zona está ocupada, llena de soldados, y nuestras vidas dependen ahora únicamente de que logremos pasar ignorados.

Juana se ha vuelto, asustada, al otro lado de la sebe junto a la que se había sentado.

De un salto, se incorpora y, sin volver la espalda, comienza a retroceder muy lentamente hacia el centro del prado donde las vacas pastan indiferentes y aburridas.

—¡Juana! ¡Juana! ¡Tranquila, Juana! ¡Soy yo, Ángel!

Mi voz apenas es un gemido vegetal entre las zarzas. Pero Juana me ha oído. Se detiene de pronto como inmovilizada por un disparo.

Sus ojos son dos monedas asustadas, incrédulas, azules, clavadas en los míos.

—Siéntate. Siéntate donde estabas. De espaldas, como antes. Y mira hacia las vacas.

Ella obedece y se sienta de nuevo al otro lado de la sebe, a apenas medio metro de donde yo espero tumbado. Casi podría, si quisiera, tocarla con la mano.

—¿Qué haces aquí? —pregunta con una mezcla de terror y de dulzura—. Te van a matar, Ángel. Te van a matar.

—¿Cómo estáis?

—Bien —responde en voz muy baja—. Creíamos que ya no volveríamos a verte.

—Pues aquí estoy. Díselo a padre.

—¿Has venido solo?

—No. Estoy con Ramiro y con su hermano. Y con Gildo, el de Candamo, el que se casó con Lina. Quedaron arriba, en la collada —mi hermana escucha, sin volver la cabeza, golpeando nerviosamente la hierba con la aguijada—. Escucha, Juana. Dile a padre que esta noche bajaremos a La Llánava. Que nos espere en el pajar. Prepáranos algo de comida. Y vete a ver, si puedes, a la madre de Ramiro. Necesitamos encontrar un sitio donde poder escondernos unos días.

A lo lejos, por el camino del río, se oyen ya los mugidos de otras vacas.

—Vete, Ángel, vete. Te van a matar.

Juana se ha vuelto hacia mí, con los ojos abrasados por el miedo. El amarillo de su pañuelo es una llamarada.

—Te van a matar —repite—. Te van a matar.

Cuando me alejo de ella, arrastrándome como un perro sarnoso entre las urces, sus palabras retumban todavía en mis oídos.

La luna se ha asomado, entre las nubes, y baña de plata helada las ramas de los robles. Un espeso silencio sostiene hoy la bóveda del cielo, la arcada de agua negra que se comba mansamente sobre el valle.

Al final de los robledales, cerca de la collada, nace un camino. La senda del rebaño se arrastra monte abajo entre cercados de piedra y claros de tomillo. Busca el bramido del río que baja, por la izquierda, con un vaivén lejano de espadañas.

Más allá, al otro lado del puente, los tejados de La Llánava cortan del cielo enormes trozos de pulpa negra.

No hay nadie por las calles. Ni siquiera los perros, acorralados por el cierzo contra la placidez caliente de las cuadras, parecen ventear nuestra llegada.

—Por la tablada —Ramiro encabeza la marcha, con la pistola en la mano—. El puente puede ser peligroso.

Abajo, entre las salgueras y los juncos de la orilla, el bramido del río crece hasta estrellarse contra las bóvedas del puente, contra las viejas piedras roídas por el tiempo y la humedad.

—Pasa tú primero, Ángel —dice Ramiro—. Y vigila desde la otra orilla.

Las piedras de la tablada por la que el agua se desvía hacia el molino resbalan bajo mis botas como peces dormidos. Como la piel de aquellas truchas que pescábamos de niños, en las atardecidas mansas del verano, mientras la gente del pueblo nos miraba desde el puente.

Ya estoy en la otra orilla. La hierba, aquí, junto a los huertos, está ya muy crecida, brotada de ortigas negras que se desangran bajo mis pies.

Inmóvil, con la respiración contenida, escruto unos instantes las sombras de los huertos más cercanos, el silbido del cierzo entre los avellanos y los árboles frutales. Hago una señal y, en seguida, Gildo aparece al otro extremo de la tablada. Viene despacio, muy despacio, tanteando a cada paso el perfil resbaladizo de las piedras. Su sombra brilla sobre la piel del agua como el reflejo de un árbol enraizado en el medio del río.

De pronto, he escuchado los pasos que se acercan

hacia el puente. Un remolino de hierba se abalanza hacia mí y grumos de tierra amarga se meten en mi boca. Levanto la cabeza entre la empalizada vegetal que intenta sujetarme contra el suelo. Busco la metralleta. Busco la oscura silueta de Gildo, inmóvil ya, como una sombra, en la tablada. Ahí delante, el río ha enmudecido de repente como si hubiera muerto.

Los pasos que se acercaban se escuchan ya con claridad. Por el pretil del puente, al contraluz del cielo, pasan dos sombras: un hombre y un caballo. Pasan. Se alejan ya. Se pierden en la noche con un sordo redoble de pezuñas.

En la tablada, el río y Gildo recobran nuevamente el movimiento.

En el pajar, la oscuridad es absoluta: hiere casi en los ojos. Sólo se escucha el crujido seco y oloroso de la hierba y el resuello adormecido de las vacas, debajo, en el establo.

La lámina de plata negra de la noche desaparece tras el postigo.

—¿Padre?

—Estoy aquí, Ángel. Junto al boquerón.

No es la voz de mi padre. Es la voz de mi hermana, al fondo del pajar.

La hierba trepa apelmazada hacia las vigas del techo. Siento la mano helada que me busca en la oscuridad.

—No tengas miedo, Juana. No tengas miedo.

—¿Quién está ahí contigo?

—Tranquila, Juana. Es Ramiro. ¿Y padre? ¿Por qué no ha venido?

—No está. Se lo llevaron esta tarde.

Mi hermana ha roto a llorar, casi sin fuerzas, caída sobre mí. Siento el temblor ardiente de su pecho sobre el mío, la caricia salobre y amarga de sus lágrimas.

—¿Quién? ¿Los guardias?

—Sí. Se lo llevaron al cuartel. Vete, Ángel. Vete en seguida o te matarán.

Un crujido de paja aplastada a mi lado; unos pasos: Ramiro.

—Hola, Juana.

Pero ella no puede responderle, ahogadas en mi capote sus lágrimas y su boca.

—Se han llevado a mi padre —le digo a Ramiro.

—¿A tu padre? ¿Saben que estás aquí?

Mi hermana se desprende de mi hombro.

—No. No lo saben —dice, conteniendo las lágrimas—. Vienen cada poco. Registran las casas y se llevan a alguno. A los que tienen familiares en el frente.

—¿Avisaste a mi madre? —pregunta Ramiro.

—No pude. Vinieron los guardias. Vinieron y estuvieron registrando todo el pueblo, casa por casa.

—No te preocupes, Juana. No te preocupes —le digo, tratando de tranquilizarla—. Ya verás como a padre no le pasa nada. En seguida volverá. Y a la madre de Ramiro ya la avisarás mañana. Ahora lo que tienes que hacer es volver a la cama. Los guardias pueden volver con padre en cualquier momento.

—¿Y vosotros?

—No te preocupes por nosotros, Juana. En el monte no nos encontrarán.

Mi hermana ha dejado de llorar. Sólo su respiración entrecortada delata su presencia en la oscuridad.

Antes de marchar, nos dice todavía:

—Anoche mataron a Benito, el del carrero. Tened cuidado, Ángel. Tened mucho cuidado.

Cuando mi hermana se pierde al fondo del boquerón que comunica por dentro el pajar con el establo, busco a Ramiro en la oscuridad. Él me llama ya desde el postigo:

—Vamos, Ángel. ¿Qué estás haciendo?

—Voy a esperar.

Él retrocede sobre sus pasos. Lo noto por el crujido seco de la hierba.

—¿Qué dices? ¿Te has vuelto loco?

—Se han llevado a mi padre. ¿No lo entiendes?

—Claro que lo entiendo, Ángel. Claro que lo entiendo —aunque intenta disimularlo, la voz de Ramiro no puede ocultar su nerviosismo—. Se han llevado a tu padre al cuartel. ¿Y qué? Le harán unas cuantas preguntas y volverán a soltarle.

—Es igual —repito, decidido—. Quiero saber lo que ha pasado y voy a esperar.

Ramiro duda un instante antes de decir:

—Bien, Ángel. Tú sabrás lo que haces. Yo no puedo obligarte a lo contrario. Pero ten en cuenta que, si te cogen, no te darán una sola oportunidad. Ya has oído a tu hermana lo que hicieron con Benito y estaba mucho menos comprometido que nosotros.

Y, luego ya, caminando hacia el postigo:

—No salgas del pajar hasta que llegue. Si registraron esta tarde todo el pueblo, no van a registrarlo ahora otra vez.

Ramiro entorna suavemente la vieja puerta de madera y observa unos instantes el exterior por la rendija.

—Te esperaremos en la collada —dice.

Y, de un salto, desaparece por el huerto donde su hermano y Gildo esperan vigilando.

Cuando Ramiro se va, cierro por dentro el postigo con la tranca. Luego, busco una horca y hago un hoyo profundo en el centro del pajar. Me tumbo en el fondo, bajo el capote, y con la misma horca atraigo un inmenso alud de hierba sobre mí.

La oscuridad, aquí, es ya completamente irrespirable. Pero ni aunque cosieran el pajar de extremo a extremo con palos y guadañas podrían encontrarme.

Hacia las dos de la mañana, el crujido de los goznes de un portón me sobresalta. Es un crujido ronco, amortiguado por la paja, en el corral.

Escucho, inmóvil, conteniendo la respiración. Pero no se oye nada, absolutamente nada. Ni voces o pasos en la calleja, delante de la casa, ni el rugido del motor de un automóvil que se alejara de regreso hacia el cuartel. Sólo el crujido ronco de los goznes del portón, en el corral, la enorme cerradura al ser pasada y las lejanas campanadas de las dos, deshilachadas por el cierzo.

Aún espero, sin embargo, cerca de una hora antes de salir del agujero. La oscuridad era tan densa debajo de la hierba que, ahora, puedo ya orientarme fácilmente entre las sombras del pajar.

Por el angosto boquerón asciende de la cuadra un vapor hondo y caliente, un aroma profundo a estiércol y heno viejo que, ahora, no sé por qué, resucita en mi memoria recuerdos muy lejanos: los juegos con mi hermana en los rincones clandestinos del establo y el caldero de leche recién ordeñada que un niño rubio transporta entre la niebla de los años.

El corral está lleno de luna. Lo observo con precaución antes de cruzarlo. *Bruna*, la perra, surge de entre las sombras y comienza a acercarse lentamente blandiendo entre los dientes un gruñido de amenaza. Tarda en reconocerme: está ya casi ciega y yo hacía más de un año que no entraba en esta casa. Cuando me reconoce, la perra corre hacia mí y se me encarama al pecho saltando de alegría. Pero no ladra. En mi propio silencio, quizá intuye el peligro. Me sigue hasta la puerta y allí se queda quieta y muda, vigilando.

Un lejano destello en sus ojos casi ciegos me dice —pobre *Bruna*— que está dispuesta a defender mi vida con la suya.

Mi padre está sentado en la cama, bajo las mantas, con la espalda apoyada contra los barrotes de hierro de la cabecera.

Me recibe con una mirada indescifrable.

—¿Qué ha pasado, padre? ¿Qué ha pasado?

—¿Qué haces aquí? —pregunta él a su vez, sin contestarme.

—He venido para verle. ¿Cómo está?

Pero mi padre ni siquiera me ha escuchado. Se levanta de la cama y atraviesa la habitación. De un baúl, entre la ropa, saca un delgado fajo de billetes.

—¿Qué me da? —le digo, tratando de rechazarlo. Debe de ser todo lo que tiene, todo el dinero que ha logrado reunir en una larga vida de trabajo.

—Cógelo y calla —impone él, en tono seco, como si

yo fuera un niño todavía y me entregara este dinero para hacerle algún recado en Cereceda—. Escúchame bien, Ángel. Tenéis que marchar lejos cuanto antes, pasar a la otra zona, si podéis. Están buscándoos. No. No saben que estáis aquí —continúa él leyendo en mi mirada la sorpresa—. Buscan a todos los que estabais en Asturias. Saben que muchos habéis vuelto otra vez huyendo a través de las montañas. Y, en los últimos días, han cogido ya a unos cuantos: a Goro, a Benito, el del carrero, a dos o tres de Ancebos. Tienen todos los caminos y pueblos vigilados.

Al fondo de la habitación, una barra de plata helada se cuela por la rendija de la contraventana. Atraviesa la oscuridad iluminando débilmente el rostro de mi padre. Está delgado, muy delgado, envejecido. Y, en sus ojos, un poso de impotencia se mezcla con la rabia que intenta contener entre los labios.

—Te acuerdas de la mina del monte Yormas, ¿verdad? Aquella mina abandonada donde nos refugiamos de la lluvia una vez que fuimos a por leña, hace ya años. Escondeos allí de momento. Hasta ver qué pasa. Juana o yo os dejaremos comida cada tres o cuatro días en la collada.

Y, luego, mirándome fijamente:

—Pero no os entreguéis. Pase lo que pase, no os entreguéis, ¿me oyes? Os matarían al día siguiente en cualquier cuneta como han hecho con tantos.

—¿Qué ha pasado en el cuartel? —le vuelvo a preguntar, ya desde la puerta.

—Nada.

Mi padre me ve marchar, inmóvil en la penumbra, con los ojos atravesados por la barra de plata helada que se cuela por la contraventana.

A mi espalda, mientras me alejo monte arriba por el sendero del rebaño, el reloj de la torre de La Llánava desgrana cuatro lentas campanadas. Cuatro uvas de hierro dolorido que revientan en la noche derramando sobre mi corazón una sustancia fría, mineral y amarga.

Capítulo III

Rasga la luz con su hoja de sangre la oscuridad inmensa de las entrañas de la tierra. El haz de la linterna se mezcla con el agua, que fluye, negra y fría, del techo y las paredes, hasta perderse, al fondo, entre un fantasmagórico paisaje de raíles oxidados, de maderas podridas, de bocas indescifrables que se abren interminablemente a izquierda y a derecha de la galería.

El calor es húmedo, asfixiante. Fermenta sobre sí mismo como un animal corrompido. Se pudre. Impregna con su olor penetrante las maderas y el agua y el aire y el silencio.

Luego, se arrastra galería adelante buscando una salida que no encuentra.

—Es como si estuviéramos muertos. Como si, fuera de aquí, no hubiera nada.

Ramiro abandona por un momento su inmovilidad para mirarme. Está tumbado sobre el tablero que anoche bajó de la bocamina para aislarse del agua que permanentemente corre por la galería. Se pasa así los días, inmóvil, en silencio, con la mirada perdida en los desvencijados travesaños que cruzan el techo.

—Te acostumbrarás —me dice—. El hombre se acostumbra a todo.

—Menos a que le entierren vivo.

—Mira éstos.

Gildo y Juan, envueltos en sus capotes, duermen cerca de nosotros, apenas dos bultos negros en la oscuridad. Gildo tiene la cabeza apoyada en un madero y la metralleta cruzada sobre el cuerpo. Su enorme corpulencia contrasta grandemente con la delgada y escuálida figura del hermano de Ramiro, casi infantil aún en su inconclusa y, ya, violenta adolescencia. Juan no ha cumplido los dieciocho años todavía y Gildo tiene más de treinta. Casi podrían ser padre e hijo, aunque ahora duerman hombro con hombro, amenazados por un mismo temor.

—En la mina de Ferreras —dice Ramiro con la mirada de nuevo ya perdida en el techo de la galería— había mulas para tirar de las vagonetas. Nacían y morían allí dentro. Tenían las cuadras en la primera rampa de la mina y jamás salían a la superficie. Por una parte, era mejor. Así nunca llegaban a saber que estaban ciegas y no podían resistir la luz del sol.

—Y nosotros —le digo— acabaremos como ellas si seguimos aquí encerrados mucho tiempo.

Ramiro vuelve a mirarme. De sus labios cuelga una extraña sonrisa. Una sonrisa amarga, lejana, inexpresiva. Una sonrisa que borra la humedad como si fuera polvo.

—¿Sabes cuántos años trabajé yo en la mina? —me dice—. Doce. Desde los quince hasta los veintisiete, hasta que estalló la guerra. Y no me quedé ciego.

Gildo se revuelve en su sitio. Cambia de postura bajo el capote, respira ruidosamente y continúa durmiendo.

Ramiro y Gildo se han marchado a casa de éste, en Candamo, a buscar algo de comida, mantas y pilas para la linterna, que se quedó definitivamente sin luz esta mañana. Gildo aún no había ido a ver a Lina, su mujer, y al niño que nació cuando él ya estaba en las trincheras de Tejeda. Desde la noche misma en que llegamos, esperaba impaciente este momento.

Juan y yo, cuando se van, comemos un poco de pan, lo último que quedaba de las dos hogazas que mi padre nos subió hasta la collada la otra noche. La carne tuvimos que tirarla: la humedad la había corrompido. Así que tenemos que conformarnos con un poco de pan enmohecido y duro hasta que Gildo y Ramiro regresen de Candamo.

Luego, nos tumbamos otra vez a ver pasar el tiempo.

Ahora, ahí arriba, debe de estar anocheciendo. Quizá

el sol retrocede lentamente ante el empuje de las nubes hinchadas de noviembre. Quizá el viento busca consuelo a su soledad entre las urces y los robles. Quizá ahora mismo algún pastor está cruzando sobre el lomo inescrutable de la mina.

Aquí abajo, sin embargo, siempre es noche. No hay sol, ni nubes, ni viento, ni horizontes. Dentro de la mina, no existe el tiempo. Se pierden la memoria y la consciencia, el relato interminable de las horas y los días.

Dentro de la mina, sólo existe la noche.

Ya no hay sol; pero la luz indestructible de la tarde golpea nuestros ojos con violencia. Se resisten a absorber tanta luz. Tanta luz.

En la explanada de la bocamina, tableros, hierros retorcidos, vagonetas roídas por el óxido, escombros, se pudren mansamente bajo la tarde fría que se aleja. El agua que supuran las entrañas de la mina se encharca en la espiral de su propio abandono formando un sucio manantial, un reguero maloliente que se desliza despacio entre las escombreras.

Dentro del barracón que en tiempos debió de ser puesto de mando y oficina, sólo la soledad y el abandono habitan ya. Por todas partes, restos de pizarra, cristales rotos y yerbas amarillas que se abren paso entre las tablas como si una peste súbita hubiera asolado este lugar hace ya siglos.

A lo lejos, detrás del monte Yormas, el sol se desmorona en una charca sucia.

Cuando se olvidan el color y la textura de la luz, cuando la luna se convierte en sol y el sol en un recuerdo, la vista sigue más el dictado de los olores que de las formas, los ojos obedecen al viento antes que a sí mismos.

Cuando la noche lo envuelve todo, permanente e indefinidamente, empapando la tierra y el cielo, anegando el corazón y el tiempo y la memoria, sólo el instinto puede descubrir los caminos, atravesar las sombras y nombrarlas, descifrar los lenguajes del olor y del sonido.

En los sillares de Ancebos, bajo los tejos rojos, anida el viento que por la noche baja al valle para encerrar a las personas y a los perros dentro de las casas, al lado de la lumbre. Pero, ahora, el viento está aquí también. Bate las ramas secas, escarba con furia entre las gredas, se aleja por el monte con un aullido negro e interminable.

—Ya falta poco. Está ahí arriba, detrás de la peña.

Gildo se ha detenido para esperarnos. Señala con la mano la enorme mole gris de Peña Barga, peraltada, frente a nosotros, en difícil equilibrio sobre el valle, varada en medio de la noche como un navío imposible, como un barco encallado en un lugar del que se hubiera retirado el mar.

—Cuando nosotros retrocedimos hacia el norte —explica Gildo jadeando por el esfuerzo—, pasamos por allí, por el desfiladero, ¿lo veis? El redil está justo detrás.

Gildo estuvo aquí avanzado nueve días, los nueve primeros días de la guerra. Gildo, como yo, como Juan, como Ramiro, como tantos y tantos hombres y mujeres de estos pueblos, huyó de noche al monte al quedar la zona partida en dos frentes separados por la línea del ferrocarril. Y aquí aguantó durante nueve días. Todavía quedan trincheras a nuestro alrededor, bombas sin explotar, restos de metralla. Huellas de una batalla que ya sólo el propio Gildo puede recordar:

—Éramos ocho: tres de Ancebos, dos de Vegavieja, un barrenista de Ferreras, el herrero de La Moraña y yo. Salvé yo únicamente. Ellos estaban en Ancebos. Una sección entera. Nosotros sólo teníamos una ametralladora. Pero les costó muchos muertos levantarnos.

El viento se abre paso por el desfiladero y sopla con fuerza. Agita nuestros capotes como banderas tristes de un ejército vencido. El viento se abre paso por el desfiladero arrastrando los recuerdos de Gildo hacia el profundo pozo helado de la noche.

Ahí está, al fin, a la salida de la peña, en la pradera que se comba sobre el valle bajo una tromba verdinegra de piornedas.

Brilla bajo la luna el tapial de adobe, el tejado corroído por la nieve, el cobertizo de piedra que guarda el sueño del rebaño y en el que los mastines han barruntado ya nuestra presencia.

—¡Quieto donde está! ¡Vamos, tire la escopeta!

El pastor había salido al cobertizo alertado por los perros. Salió con la escopeta quizá pensando que alguna alimaña rondaría la majada. O que los lobos habrían bajado ya hasta aquí, empujados por la nieve de los puertos, y ahora acechaban en la peña el sueño del rebaño.

Pero lo que se encuentra frente a él es la pistola de Ramiro.

—¡Vamos, la escopeta! ¿No me oye?

El pastor obedece. Arroja el arma al suelo, lejos de su alcance, y se queda mirándonos con los brazos en alto.

—¡Adentro!

Un candil de petróleo, colgado de una viga, en el techo, ilumina vagamente la pequeña estancia en la que se amontonan troncos para la lumbre, bolas de sal, cántaras de leche, pieles sin curtir, un banco desportillado, algunos sacos apilados en desorden contra las paredes y un camastro de tablas donde las mantas cobijan todavía el sueño interrumpido del pastor. Y, al fondo, atravesada en un rincón, a media altura, la balda de madera que sostiene el goteo amarillo de los quesos y la nube esponjosa de la lana.

—Está usted solo, ¿verdad?

El pastor asiente con la cabeza, sin separar la vista de nuestras metralletas. Es un hombre ya viejo, con el rostro curtido por esa extraña mezcla de cansancio y fortaleza que el monte otorga siempre a quien lo habita.

—Bien —dice Ramiro, cerrando la puerta—. Pues esta noche va a tener compañía. Ahí afuera hace mucho frío.

A las cinco de la mañana, Gildo me despierta. Me había quedado dormido sentado en un rincón.

Miro a mi alrededor: Juan también se despereza, levantándose del banco, y, al fondo, Ramiro fuma en silencio vigilando al pastor desde la puerta. Hace calor aquí, entre los sacos.

—¿Qué hora es?

—Las cinco.

Gildo está guardando varios quesos en un saco. Guarda también una manta y tres o cuatro pieles secas, sin curtir, ante la mirada impotente del pastor, que continúa sentado en el camastro. Recuerdo que, antes de dormirme, contó que una patrulla de soldados pasó al amanecer, hacia Tejeda, donde han establecido un retén de vigilancia en la casa de la escuela con el fin de rastrear estas montañas. Una patrulla de soldados que, en cualquier momento, puede volver a aparecer.

Ramiro aplasta su cigarro con la bota.

—Nos llevaremos una oveja —dice dirigiéndose al pastor—. Y la escopeta. A usted le será fácil conseguir otra.

El hombre no contesta. Consciente de que nada puede hacer para impedirlo, se levanta y sale delante de nosotros al cobertizo donde el rebaño duerme al amparo vigilante y fiel de los mastines.

La noche está muriendo y el frío, ahora, es mucho más intenso, más cortado. Trae en la lengua el lamento escarchado de la niebla.

El pastor se ha metido entre las ovejas. Mira las marcas tajadas a tijera en sus orejas y, al fin, elige una. La arrastra de una soga hacia nosotros.

—¿De quién es?

El hombre mira a Ramiro, sorprendido. Duda un instante antes de responder:

—Es mía.

Ahora, es Ramiro el sorprendido.

—¿Suya? ¿Y por qué una suya?

—Si les doy una de otro vecino —dice—, tarde o temprano acabarían enterándose los guardias.

Ramiro le dedica una escéptica sonrisa:

—Yo creí que pensaba decírselo usted mismo.

El pastor no contesta. Se limita a encogerse de hombros mientras entrega a Juan el extremo de la soga para que el chico se haga cargo de la oveja. El animal se resiste a caminar. Forcejea, con las patas clavadas en la tierra, intentando regresar con el rebaño. Quizá ha intuido ya, en nuestros ojos, su destino.

—¿Es bastante esto?

Seguramente era lo último que el pastor podía esperar de mí en este momento. Ramiro y Gildo también me miran sorprendidos. Desconocían la existencia del dinero que acabo de sacar de mi bolsillo.

Es bastante más del doble. Mucho más de lo que valen la oveja y la escopeta y el mísero botín que Gildo se lleva en ese saco. Es bastante más del doble y el pastor lo sabe. Por eso sigue mirándome extrañado, sin decidirse a coger el dinero que le ofrezco.

—Pues tenga, guárdelo. Nosotros también pagamos —le digo—. Y espero que sea cierto lo que dijo. No olvide que, cualquier noche, podemos volver a visitarle.

El pastor nos ve marchar, desde la puerta, rodeado por los mastines. Casi seguro, en cuanto desaparezcamos por el desfiladero, bajará corriendo al pueblo a denunciar a los guardias lo ocurrido.

El amanecer nos sorprende ya de nuevo cerca de la mina. En una hora, hemos recorrido más de diez kilómetros de monte.

Está helada la escarcha, dura como cristal. Y grandes nubes bajas avanzan por el cielo llenando de luz negra el horizonte y las montañas. Pronto, seguramente, en cuanto el frío se disuelva con la escarcha, comenzará a llover.

—Esperad, no corráis —llama Gildo—. Esperad al chaval.

Juan sube, entre las retamas, tirando de la oveja.

—Hay que matarla ahora —dice Ramiro—. Antes de que se haga totalmente de día.

—¿Dónde?
—En el barracón.
—¿Y los despojos?
—Los tiramos al reguero. Que los arrastre hacia el desagüe de las escombreras.

Al otro lado de la loma, bajo la falda del monte Yormas, se divisa ya la explanada de la bocamina: las chapas desvencijadas del barracón, los depósitos vacíos de los lavaderos y las vagonetas corroídas por el óxido y la escarcha. El viento azota suavemente las escombreras grises que nutren al espino, la acedera y el cardo.

Es un paisaje gris, inútil, desolado. Un paisaje abandonado sin remedio a la voracidad del tiempo y el olvido.

Juan ha llegado ya a nuestra altura tirando de la oveja. El animal camina, dócil y resignado, con el dibujo de la muerte grabado en su mirada.

—¡Sujétala! ¡Fuerte! ¡Átale las patas, vamos!

Gildo forcejea con la oveja tratando de tumbarla contra el suelo. Al fin, lo consigue. La inmoviliza clavándole una rodilla en el vientre y yo aprovecho ese instante para atarle las patas con la soga.

Ramiro y Juan miran la escena mientras vigilan desde las ventanas.

Unos segundos y ya Gildo hunde hasta el fondo su navaja en la garganta de la oveja. El animal se revuelve en el suelo chillando ácidamente. Se convulsiona con violencia mientras la sangre surge, impetuosa, de la garganta abierta como vino de una botella rota. La sangre se extiende por la lana de la oveja y por las tablas del suelo, entre los cascotes y los cristales. Salpica la camisa y nuestros ojos.

Poco a poco, las convulsiones van haciéndose más espaciadas, perdiendo fuerza. Se convierten ya en espasmos de agonía, en crispaciones que anuncian la llegada de la muerte.

—Suéltala, Ángel. Ésta ya no se escapa.

Gildo limpia en su pantalón la hoja de la navaja contemplando con gesto victorioso la oveja tendida en el suelo, en medio de un gran charco de sangre.

—Ahora hay que desollarla —dice levantándola por las patas traseras—. Ayúdame a colgarla de esa viga.

La luz que se cuela por las ventanas del barracón es cada vez más clara, más limpia y transparente. Ya ha amanecido y un débil sol de invierno intenta despuntar al otro lado de la loma. Todavía es una mancha amarilla diluida entre las nubes.

—Sujétala por la cabeza. Que no se balancee.

La oveja cuelga de la viga como un extraño fruto ensangrentado y la navaja avanza, decidida, vientre abajo, haciendo saltar un aluvión de vísceras sobre el caldero roto y oxidado que Ramiro encontró en los lavaderos. Gildo se remanga la camisa y hunde su brazo en el interior del animal. Con movimientos rápidos y sabios, va arrancando del vientre racimos malolientes, despojos que revientan en el fondo del caldero con un sonido azulado y blando.

Por el brazo de Gildo, la sangre avanza en hilos como la hiedra por el tronco de un árbol.

—Juan, tira eso al reguero y trae agua limpia. Date prisa.

Juan sale del barracón con el caldero y Gildo, limpiando nuevamente la navaja, comienza a separar la piel del animal.

—Es buena —dice—. Puede valer para hacer una pelliza.

Pero no le ha dado tiempo a terminar. Juan ha irrumpido en el barracón y se abalanza corriendo hacia una de las ventanas.

—¡Hay alguien allá arriba! ¡Me ha visto!

Ramiro, Gildo y yo corremos a su lado.

—¿Estás seguro?

—Seguro. Miradle: en lo alto de la loma.

Ramiro busca con los prismáticos la silueta que se recorta en el horizonte.

—Es un chaval —dice.

—¿Qué estará haciendo ahí arriba?

—¡Y yo qué sé!

Ramiro rastrea todo el monte, delante de nosotros,

buscando otras personas. Luego, retorna nuevamente al punto de partida.

—Está bajando hacia aquí —dice—. Viene solo.

En dos minutos, se ha plantado junto a la explanada.

Ahora podemos verle bien. Es un muchacho de catorce o quince años, poco menor que Juan. Lleva una soga en la mano y parece estar buscando algo. Se ha detenido entre las retamas, cerca de los lavaderos, y mira con curiosidad y desconfianza hacia el barracón, sin atreverse quizá a acercarse más.

—Nos ha visto. No hay duda.

—Ángel, sal tú y aléjale de aquí —me dice Ramiro, agachado a mi lado, bajo la ventana—. Pero sin que sospeche nada.

Dejo la metralleta en el suelo, me limpio con un pañuelo la sangre de las manos y me encamino despacio hacia la puerta.

En la explanada, la luz ya crecida del amanecer se abalanza, helada, sobre mí.

El muchacho me observa, inmóvil entre las retamas. Tarda un rato en decidirse a preguntarme:

—¡Eh, oiga! ¿Ha visto usted una cabra por aquí?

Yo aparento descubrirle en ese instante.

—No. No he visto nada. ¿Se te perdió?

—Sí. Anoche ya no volvió con el rebaño.

—¿De dónde eres?

—De Vegavieja.

Parezco infundirle cierta confianza, porque el muchacho ha abandonado su lugar entre las retamas y comienza a acercarse a la explanada. Si no hago nada por evitarlo, llegará hasta el barracón.

—Ya se ha quedado más veces en el monte —viene diciendo—. Pero, ahora, está preñada y mi padre tiene miedo de que se esconda por ahí, a parir sola, y la cojan los lobos o una nevada...

De pronto, sus ojos se han clavado en el caldero lleno de vísceras ensangrentadas que Juan abandonó junto al reguero. El muchacho retrocede. Comienza a correr monte arriba entre las retamas sin darme tiempo a reaccionar. Se vuelve cada poco para asegurarse de que no le sigo.

Ya cerca de la loma, me grita, amenazante y asustado al mismo tiempo:

—¡Ha sido usted! ¡Ha sido usted quien la ha robado!

Y se pierde corriendo entre las nubes.

—Vámonos de aquí —dice Ramiro saliendo a la explanada—. Antes de una hora, esto estará infestado de soldados.

Hacia el mediodía reventaron las nubes. No soportaban ya tanto silencio.

Primero se ablandaron como frutas maduras, después se aplastaron unas contra otras y, por fin, abrieron sus barrigas inflamadas derramando sobre la tierra una sustancia negra y amarga.

Monte abajo, las retamas inclinaron, sumisas, sus cabezas al paso de la lluvia.

—Ahí les tenéis.

Estamos tumbados boca abajo sobre la arista del cabezo que corona, como una cresta rota, la cumbre vertical del monte Yormas. Desde aquí, con la ayuda de los prismáticos, podemos dominar un paisaje mucho más grandioso y bello de lo que los ojos por sí solos podrían soportar: la mole ingrávida de Peña Negra, sobre la verde sima del valle de los Osos y las colladas de La Friera y Vegavieja: las agujas cortadas del Usiello, detrás de Peña Barga, hacia el oeste: los puertos de Tejeda y La Moraña: el cueto de Morana: los neveros de la Sierra de la Sangre donde hilvanan su memoria el lago Negro y el río Susarón: el perfil plateado y familiar del monte Illarga, borrado por la lluvia y la distancia. Y, abajo, a nuestros pies, como erupciones minúsculas de una tierra maldita y olvidada, las grises escombreras de la mina y la raya de la loma que bordea la explanada por el sur y que recorta ahora las siluetas de unos hombres que avanzan desplegados, las armas empuñadas, como en una gigantesca cacería.

—Menos mal que salimos a tiempo de esa ratonera.

Es la voz de Ramiro, aplastado a mi lado contra la arista de la roca, casi sobre el vacío.

El viento aúlla como un lobo esparciendo la lluvia en todas las direcciones. Las nubes están tan bajas que casi se apoyan sobre nosotros.

Los guardias y los soldados, desplegados al borde de la explanada, entre las retamas, han rodeado las escombreras y han tomado posiciones en torno a los depósitos de los lavaderos y el barracón.

Después, durante algunos minutos, han observado las instalaciones de la mina, bajo la lluvia, antes de que una voz gritara entre las retamas:

—¡Salgan con las manos en alto! ¡No tienen escapatoria!

Pero, del interior del barracón, sólo llega la respuesta inquietante del silencio.

Por fin, tras una nueva espera, varios guardias surgen de las retamas y corren por la explanada a parapetarse tras las vagonetas y los depósitos de los lavaderos. Algunos alcanzan la zanja del desagüe y se arrojan sobre el barro, a sólo veinte metros del barracón.

Ahora, ahí debajo, se oyen voces ininteligibles, gritos amortiguados por el aguacero. Un guardia ha abandonado su puesto provisional detrás de una vagoneta y corre en solitario, agachado, hacia el barracón, cubierto por el fuego graneado de los que se quedaron tumbados en la zanja. Se aplasta contra la pared, al lado de la puerta, y mira nervioso en dirección a las retamas esperando órdenes. El silencio es tan tenso que incluso la lluvia ha enmudecido para esperar el desenlace.

Pasan unos segundos interminables antes de que el guardia se decida. Da una patada a la puerta y encañona la estancia vacía.

—Los galones tendrán que esperar —murmura Ramiro, a mi lado, con una sonrisa.

Pero algo llama ahora mi atención en la explanada: todos han abandonado ya sus refugios entre las retamas y varios guardias se dirigen hacia la boca de la mina encañonando a dos hombres esposados. Les obligan a entrar delante, en cabeza, para que les sirvan de parapeto en el caso de que alguien abra fuego desde dentro.

El resto de los guardias y los soldados se quedan esperando en la explanada, husmeando en los alrededores del barracón y de los lavaderos.

La espera no es muy larga, sin embargo. A los pocos minutos, dos disparos desgarran el vientre de la montaña. Las detonaciones son secas, profundas, como explosiones de dinamita bajo la tierra. Conmueven un instante el equilibrio perfecto de la lluvia y el silencio.

Cuando la partida se reagrupa en la explanada y comienza a alejarse nuevamente hacia Tejeda, los dos prisioneros ya no van en ella.

Capítulo IV

La carne crepita sobre el fuego, al fondo de la cueva, mientras, afuera, el viento de noviembre arrastra hojas lejanas por el monte.

Un humo denso y acre invade el pasadizo, se agolpa contra el capote que, en la boca de la cueva, impide, desplegado, que el resplandor del fuego pueda verse desde fuera. Es agradable, después de un día entero soportando la humedad y el frío que supuran las entrañas de la tierra, sentir el olor profundo del asado, el monótono crujido de las llamas que acarician con sus lenguas de roble la carne que se encoge con un largo lamento.

—Bueno. Esto ya está.

Gildo ha clavado su navaja en la hebra palpitante y apretada y la retira del fuego para trocearla sobre una piedra plana.

Nosotros le miramos sin demasiado interés. Juan se ha tumbado sobre unas cuantas mantas lejos de la lumbre y Ramiro, recostado frente a mí contra la oscura pared del pasadizo, parece dormitar sumido en un profundo tedio. Apenas ha cambiado de postura y de expresión en todo el día. O mejor: apenas ha cambiado de postura y de expresión desde que estamos enterrados —una semana se cumplirá mañana— en este húmedo agujero, prolongación tortuosa de la oquedad cegada por el barro y las retamas que, en tiempos, debió de ser refugio de pastores y que nosotros vaciamos y excavamos durante cinco largas noches de trabajo, completamente a oscuras y con la única ayuda de un cuchillo y una pala, cuando llegamos aquí huyendo de la mina abandonada. La cueva, pese a la protección de los chapones que trajimos del viejo barracón para cubrir por dentro el techo y las paredes, es húmeda y helada, apta quizá sólo para la supervivencia de alimañas. Pero está oculta de miradas tras la hojarasca espesa de un piornal, colgada como un nido de águilas en las aristas escarpadas de Peña Illarga, y nadie, ni siquiera los más viejos pastores de los pueblos del contorno, podría recordarla ya. Y, sobre todo, desde la estrecha abertura de su boca, podemos dominar con los prismáticos el valle entero del río Susarón, con los tejados de Pontedo y de La Llánava, la carretera que viene de Ferreras, la línea negra del ferrocarril y las paredes cenicientas del cuartel de Cereceda.

—¿Qué os pasa? —pregunta Gildo—. ¿No vais a comer nada?

Un silencio indiferente le contesta. Ramiro y Juan ni siquiera abren los ojos para mirarle.

Yo tampoco tengo hambre. Desde que estamos aquí, apenas he vuelto a sentir el grito negro de la bestia que, en el fondo de mi estómago, bramaba desolada tantas veces en los últimos meses de la guerra y, sobre todo, durante los cinco días que pasamos sin comer huyendo a través de las montañas y en medio de la lluvia de otra bestia más concreta, más humana y sanguinaria, que perseguía implacable nuestros pasos. Es como si la humedad y el frío de la cueva se me metieran en los huesos y en el alma manteniéndome tumbado día y noche al lado de la lumbre, sin ganas de comer, ni de hablar, ni de asomarme siquiera a la boca de la entrada para observar el cielo encapotado y duro que, en sus aristas, tiene ya el aliento de la nieve y, en él, nuestra condena: antes de la primavera no podremos escapar de aquí.

—Allá vosotros —dice Gildo blandiendo en su navaja un trozo de carne asada—. Pero os advierto que esto es lo último que quedaba de la oveja.

Y comienza a comer vorazmente, dejando que la grasa le manche las manos hinchadas por el frío y la ya espesa y crecida barba.

Hacia las tres de la mañana, ha cantado el búho en el hueco de algún roble cercano. Debe de ser rojo y negro como la hoguera que agoniza dentro de la cueva. Y sus ojos resplandecientes en la noche como dos brasas.

Cuando despierto, por la boca de la cueva se cuela ya la luz helada y temblorosa del amanecer. La lumbre está apagada, consumida bajo sus propias brasas, y la humedad traspasa mi manta y mi capote.

—¿Estás despierto?

Es Ramiro. Descubro el brillo de sus ojos frente a mí, en la oscuridad, y me acuerdo del búho que cantó en la noche.

—Sí. ¿Qué hora es?

—Las siete. Está amaneciendo.

Torpemente, me recuesto en el montón de lana y hojas sobre el que he estado durmiendo. Tengo las manos duras, hinchadas por el frío, sin fuerzas casi para sujetar la botella que Ramiro me alarga en la oscuridad.

—Toma, bebe. Te ayudará a espantar el frío.

Busco el respaldo helado de la roca y destapo la botella. El aguardiente abre un surco de fuego por mi garganta. El aguardiente es un río de hierro que estalla con furor contra las bóvedas del sueño buscando en mi memoria la memoria dolorida de la noche.

Pero esta amarga llama de su aliento es la única que podemos encender mientras la luz del día ilumine las montañas y el humo de una hoguera pueda verse desde el valle.

—Hay movimiento —dice Ramiro mirándome beber.

Lo ha dicho en voz muy baja, con los ojos pintados por un destello extraño: ese brillo fugaz, cortado e indescifrable que siempre asoma a ellos cuando el peligro ronda en torno nuestro.

—¿Qué pasa?

—No sé. Pero han llegado dos camionetas con refuerzos.

—¿Cuándo?

—De madrugada. Mira, ven.

Dejo la botella en el suelo, sobre las mantas, y me

arrastro detrás de Ramiro hasta la boca del pasadizo.
El valle de Cereceda se abre al pie de la peña como un cielo invertido, como una inmensa olla de la que sube hacia nosotros un vapor denso y helado. La niebla es tan compacta, tan cuajada, que hace imposible ya distinguir el contorno de los bosques y el perfil de las montañas. Todo se funde lentamente en un mismo color y en una misma masa, en una lámina deshilachada y gris que sólo se desgarra en las agujas de los chopos, junto al río, y en los tejados rojos de Pontedo y de La Llánava.

—¿Ves algo?

Ramiro trata inútilmente de abrirse paso en la niebla con los prismáticos:

—Nada. La niebla está subiendo muy de prisa. Hace un momento, se veía el cuartel perfectamente. Y las dos camionetas en el patio.

De pronto, casi a un tiempo, una misma sospecha nos asalta. Puedo leerla en los ojos de Ramiro, repentinamente agigantados y encendidos, del mismo modo que él quizá esté ahora leyéndola en los míos: las camionetas deben seguir ahí, en el cuartel cubierto por la niebla. Pero ¿y los guardias que en ellas han llegado?

Ramiro corre hacia el final del pasadizo en busca de Gildo y de su hermano. Éstos, envueltos entre las mantas, junto a la lumbre, se despiertan sobresaltados. No entienden todavía el motivo de nuestra alarma.

Pero, sin perder tiempo, cogen sus metralletas y nos siguen.

Afuera, en el piornal, la niebla es una gasa temblorosa y apretada. Corta la luz y difumina, delante de nosotros, las ramas que se abren, crujiendo, a nuestro paso.

Veo las botas de Ramiro aplastarse entre la hierba en dirección a la collada, trepar por la ladera de la peña delante de mis ojos, del vapor jadeante que nace de mi boca. Siento los pasos de Juan detrás de mí, pegados a mis botas. Y adivino las botas de Gildo cerrando la columna y el poso de la niebla. No podemos ver nada. Ningún sonido llega anunciando desde lejos la batalla. Pero todos sabemos que la presencia de esas dos extrañas camionetas ahí abajo marca el presagio incierto de la muerte. Y que esta hora, la del amanecer, cuando la escasa luz permite todavía la avanzada sigilosa entre las urces y el sueño vence a veces la tensa vigilancia del huido, es la elegida siempre por los guardias para subir al monte tras sus pasos.

En lo alto de la peña, nos tumbamos en el suelo, bajo los brezos, de espaldas unos a otros. La niebla nos sepulta con un bramido blanco.

Esta niebla en la que tal vez se funde ya el aliento cercano de los guardias.

Fue una alarma infundada. Una más. Una de tantas.

Cuando bajó la niebla volvimos a la cueva.

Las camionetas se fueron por la tarde.

Nadie pudo hacerle desistir de su intención. Ni siquiera Ramiro. Juan era el único que nunca había bajado.

—Madre me está esperando. Traeré comida y mantas.

—Bajaré yo contigo.

—No. Voy a bajar yo solo. Vosotros ya habéis ido varias veces. Esta noche me toca a mí arriesgarme.

Juan cogió la metralleta y la pistola de su hermano. Metió un puñado de cartuchos en el bolso y se alejó entre las urces camino de La Llánava.

Nosotros le seguimos con la mirada hasta que perdimos su rastro en el horizonte de la collada.

—Ángel.

Es Ramiro. Otra vez.

—¿Qué?

—¿Duermes?

—No tengo sueño.

—¿Qué hora será?

—No sé. Las dos. Las dos y media.

—Tarda mucho, ¿no te parece?

Ramiro se queda en silencio, mirando la hoguera. Mirando la hoguera y esperando de mí una respuesta que no llega.

Hacia el amanecer, llega la voz del viento. Se enrosca en el capote que cubre la boca de la cueva, asoma su cabeza transparente al interior para mirarnos y, luego, se aleja nuevamente monte abajo.

Juan no ha regresado todavía.

Ramiro vuelve del piornal y apaga el fuego.

—Está amaneciendo —dice.

Gildo y yo le miramos en silencio.

—A Juan le ha pasado algo.

Hace tiempo que me ocupo en engrasar la metralleta para olvidar mi nerviosismo.

—¡A mi hermano le ha pasado algo! —grita de pronto Ramiro totalmente descompuesto—. ¡No os quedéis ahí sentados!

Gildo me mira sin saber qué hacer. O mejor: sabiendo, como yo, que lo único que podemos hacer hasta la noche es seguir aquí sentados esperando.

Durante todo el día, rastreamos por turnos el valle con los prismáticos: la espesura del monte, los caminos, las orillas del río, las calles de La Llánava, la solitaria línea negra del ferrocarril.

Nada. Ni rastro de Juan. Ni un solo indicio de su paso.

En el cuartel, el ritmo regular de las patrullas y las rondas parece desechar cualquier suceso extraño.

El edificio del molino se yergue, hierático y sombrío, al borde de la presa donde duermen ahora los rodeznos con los dientes hundidos en el agua. El ruido de la espuma, en la pesquera, es torrencial. Pero una calma honda, doméstica e invernal, envuelve mansamente los chopos deshojados del camino.

En la ventana del molino hay luz: un coágulo amarillo que salpica la espuma de la presa y las salgueras de la orilla.

Tomás, el molinero, está solo en la cocina. A través de los cristales puedo ver su figura desvaída, acodada en la mesa con los restos de la cena, de espaldas al fogón. Son las once de la noche y Tomás, que vive solo aquí, separado del pueblo por el río, hace tiempo hasta la hora de dormir escuchando por la radio las noticias. El frío de la noche y el miedo a algún encuentro en el camino no invitan demasiado a acercarse a la cantina.

Pero, hoy, Tomás tiene visita. ¿A estas horas? No puede ser. Tomás escucha con atención. Baja el volumen de la radio. Ahora sí. Ahora lo ha oído claramente: un golpe suave, amortiguado por la escarcha, en la ventana.

El molinero se levanta y se acerca muy despacio. Escruta, receloso, las sombras de la noche a través de los cristales.

Cuando me ve y me reconoce, la sorpresa le deja petrificado.

—¿En el monte?

—Desde hace un mes. Le parecerá seguramente una locura.

Tomás ha corrido el cerrojo de la puerta y cerrado las contraventanas. Apaga también la radio.

No sabe que Gildo está ahí afuera vigilando.

—Lo que me parece una locura —dice— es que hayáis venido aquí. Os arriesgáis vosotros y me comprometéis a mí.

—Lo sé, Tomás. Y lo siento. De veras que lo siento. Pero necesitamos su ayuda. Por eso hemos venido.

Ramiro escucha en silencio junto a la puerta. Los ojos del molinero van intermitentemente de él a mí. Piensa seguramente que hemos venido para pedirle que nos esconda en el molino. Y la idea, es evidente, no parece gustarle demasiado. Sabe el peligro que por ello correría.

—¿Qué queréis?

—Buscamos a mi hermano —Ramiro, al fin, ha roto su silencio—. Está en el monte con nosotros. Anoche bajó a casa a por mantas y comida y no ha vuelto todavía.

—Y quieres que yo vaya hasta tu casa para saber qué ha sucedido.

—Exacto —asiente Ramiro—. Para nosotros es muy arriesgado. Si han cogido a mi hermano, los guardias tendrán ahora todo el pueblo vigilado.

—Si lo hubieran cogido —dice Tomás, no sé si en un intento de despejar nuestros temores o de encontrar una disculpa para él mismo—, ya se hubiese sabido. Tu hermano seguramente está escondido en casa.

Ramiro y yo le miramos en silencio, sin responder. El molinero, inmóvil frente a nosotros, parece cada vez más indeciso. Sin duda tiene miedo a salir solo y acercarse hasta La Llánava en esta extraña noche cuajada de temores y presagios. En esta extraña noche atravesada por el frío.

Pero no encuentra el coraje suficiente para negarnos la ayuda que le pedimos.

—Vosotros esperadme aquí —dice, al fin, consultando el reloj y buscando su pelliza—. Yo volveré en seguida.

El reloj de la iglesia da las doce cuando le vemos regresar por el camino. Ha pasado solamente media hora.

Desde la cerca de la presa, donde Ramiro y yo nos hemos reunido ya con Gildo —ninguno de los dos podía soportar la tensa espera en la oscuridad de la cocina—, vemos venir a Tomás con las manos hundidas en los bolsos de la pelliza y el cuerpo inclinado hacia adelante para abrirse paso entre las ráfagas cortadas de la ventisca.

Se asusta cuando nos ve aparecer al borde del camino.

—No está —dice mirando a Ramiro—. Y anoche tampoco estuvo.

—¿Que anoche tampoco estuvo?

El molinero duda un instante antes de decir:

—Así es. A menos que tu madre me haya mentido.

Una ráfaga helada ha cortado sus últimas palabras. Bruscamente, el agua de la presa enmudece en la pesquera. El cielo se torna del color del hierro viejo y, en lo alto de los chopos, la luna se deshace como un fruto podrido.

Es la señal: sobre los campos desolados, sobre las extensiones infinitas de la noche, sobre las soledades eternamente juntas del río y del camino, comienza a nevar con repentina y aprendida mansedumbre.

Por los últimos huertos, cerca ya del cementerio, la ventisca arrecia. Desciende por el monte con un aullido doblando las cabezas de los árboles como animales sagrados que se inclinan ante el dios que pasa.

En sólo unos minutos —los que hemos empleado en llegar desde el molino hasta aquí arriba—, la nieve ha comenzado a dejar su impronta blanca en el camino. Un camino de tierra, cercado, que atraviesa los huertos y los prados ribereños y remonta torpemente la cuesta del cementerio antes de convertirse, ya en el monte, en senda tortuosa de rebaños.

Ha sido justo aquí, al salir a monte abierto, cuando nos ha sorprendido a bocajarro la descarga: una cortina de fuego que se enciende de repente junto a las viejas tapias del cementerio.

Cuando recobro el movimiento, estoy tumbado boca abajo en medio del camino. Casi al azar, cegado por la nieve, sintiendo en torno a mí las lenguas aceradas de las balas, busco el amparo de las urces donde Gildo empuña ya con rabia y decisión su metralleta.

—¡Disparad! ¡Disparad! —Es la voz de Ramiro, a mis espaldas—. ¡Nos van a machacar!

La noche ha reventado como un barril de pólvora. Se ha convertido en un devastador y helado torbellino. La nieve, el viento, el tableteo de las armas, los gritos de los guardias, se funden bajo la noche dibujando una lámina borrosa e indescifrable. El ruido es sobrehumano. Por todas partes, las balas buscan nuestros cuerpos, rebotan contra la tierra con un aullido interminable.

—¡Hay que salir de aquí! —grita Gildo, a mi lado, sin dejar de disparar—. ¡Hay que salir de aquí!

—¡Aguantad! ¡Aguantad!

Aplastado contra el camino, Ramiro busca en el cinto una granada de mano. Arranca la espoleta con los dientes y la lanza con todas sus fuerzas hacia las sombras invisibles de los guardias.

El estampido es atronador. Acalla durante unos segundos las voces de los guardias y el tableteo nervioso de sus armas. Unos segundos largos, interminables, que nosotros aprovechamos para correr desesperadamente monte arriba, en medio de la noche y la ventisca.

—¡Disparad! ¡Vamos, cubridme!

Ramiro empuña ya la otra granada. Y, antes de que los guardias puedan reaccionar, una segunda explosión les obliga a permanecer agachados tras las tapias.

Y, otra vez, correr, correr monte arriba con todas nuestras fuerzas, correr entre las urces y las ráfagas de nieve, correr buscando la raíz más profunda de la noche, la salvación cercana de esas rocas que marcan, en lo alto de la loma, la frontera de la muerte y de la vida.

De pronto, un golpe en la rodilla. Un golpe seco, inesperado. Y un escozor azul que asciende por mi pierna llameando.

—¡Esperadme! ¡Esperadme! ¡Me han dado!

—¡Corre! ¡No te pares! ¡No te pares!

Me arrojo al suelo, entre los matorrales, y me arrastro como puedo hasta la roca. Gildo está ya arriba, disparando.

Ramiro llega a mi lado:

—¿Dónde? ¿Dónde te han dado?

—Aquí, en la rodilla.

El escozor es cada vez más fuerte, más profundo. Intento contener el borbotón caliente con la mano.

—Toma. Átate este pañuelo.

Ramiro coge mi metralleta y trepa a lo alto de las rocas, junto a Gildo.

—Quieto. No dispares —le dice—. Aquí no subirán.

Al cabo de unos minutos, una ráfaga corta y desesperanzada pone fin al tiroteo.

La noche se resiste a aceptar el silencio. Tan intenso. Pero, en seguida, el aullido gris de la ventisca reaparece entre las urces para llenar el vacío que la pólvora ha dejado. A lo lejos, algunas luces dispersas comienzan a encenderse en las ventanas de La Llánava.

Poco a poco, los guardias comienzan a salir de entre las tapias. Se acercan al camino con recelo y temor al principio. Convencidos después de que ya estamos al otro lado de la loma, perdidos en la noche, lejos de su alcance. Son solamente cuatro. Durante largo rato, rastrean con linternas la senda del rebaño, los matorrales apretados de las urces, el perfil sinuoso de las rocas, delante de nosotros.

Ramiro tenía razón: al final, las linternas se estrellan contra el cielo, por encima de las rocas, sin que los guardias se atrevan a subir en nuestra búsqueda.

En la collada de Illarga, la nieve alcanza ya un palmo de altura. La ventisca ha amainado y, ahora, una calma densa y fría se extiende mansamente sobre el monte.

Apoyado en el hombro de Gildo, hundiéndome en la nieve a cada paso, sin un solo descanso, sin ni siquiera un alto mínimo para mirar atrás y contemplar la larga estela de silencio que vamos dejando entre nosotros y las botas de los guardias, sólo percibo ya el escozor amargo que roe mi rodilla como un insecto. Las peñas se agigantan delante de mis ojos. Los copos y las urces se funden y deshacen, borrosos e insensibles, contra mis manos y mi rostro.

Siento que voy a desmayarme. Siento brotar en mi cerebro un lago negro y profundo.

—Parad —suplico—. No puedo más.

Gildo se detiene y me deja caer sobre la nieve. Quita el pañuelo ensangrentado para mirar la herida.

—Vamos, Ángel. Aguanta. Ya falta poco.

Gildo lava el pañuelo entre la nieve y lo vuelve a apretar en mi rodilla. La humedad paraliza el zumbido del insecto. Pero, a cambio, un relámpago de hielo atraviesa mi espalda como un látigo.

Ramiro borra con una rama el reguero de sangre que ha quedado entre la nieve. Me pregunta:

—¿Puedes seguir?

—Sí —respondo, sin saber todavía si seré capaz de levantarme.

Pero no puedo. No siento ya ningún miembro del cuerpo.

Entre los dos, me levantan del suelo. Gildo me coge a cuestas y comienza, torpemente, a caminar.

Cerca de la cueva, Gildo me deja caer otra vez sobre la nieve y empuña su metralleta.

Ramiro se adelanta. Se interna entre los piornos y comprueba las marcas de seguridad con la linterna: esas señales apenas perceptibles —una rama cruzada, una lata, una cuerda— que dejamos a la entrada de la cueva para saber si alguien ha estado aquí en nuestra ausencia.

—¿Juan?

La voz de Ramiro rasga como un cuchillo las entrañas heladas de la peña.

—¿Juan? ¿Estás ahí?

Pero nadie contesta.

Segunda parte

1939

Capítulo V

El coche que cubre la línea entre León y Ferreras pasa por Casasola todos los días a las siete en punto de la mañana. Hace una mínima parada frente a la iglesia —cuyo pórtico le sirve de improvisado apeadero en los días de lluvia o del invierno—, cruza el puente de piedra sobre el río y, con las luces encendidas todavía, emboca perezoso los primeros repechos del puerto de Fresnedo.

Hoy, en León, es día de mercado y el coche va lleno de campesinos que se han levantado muy temprano para cebar el ganado y afeitarse. Así que sube con más dificultad que de costumbre. De vez en cuando, la carretera se estira bajo sus ruedas permitiéndole un respiro. Pero, en las cuestas, renquea como un viejo buey de hierro a punto de derrumbarse.

Ahora, ha doblado ya la línea verde de los chopos, sobre el río. Contiene un momento la respiración, resopla y se lanza sin demasiadas fuerzas cuesta arriba en busca de la siguiente curva.

Así, hasta coronar el puerto. Como todos los días.

Ramiro se cala el pasamontañas y empuña la pistola.

—¿Preparados?

Gildo y yo asentimos con una señal desde nuestras posiciones. Montamos las metralletas y nos tumbamos boca abajo entre las zarzas de la cuneta.

El coche de línea emboca ya la última curva de la carretera. Su hocico gris y polvoriento se aprieta contra la arista de la peña arañando los matojos que crecen sobre ella. De pronto, chilla como un caballo al que se tira bruscamente de las riendas. Las ruedas se contraen tratando de agarrarse al firme de la carretera. El coche duda un instante, da un soplido largo y hondo y se detiene finalmente, exhausto, junto al tronco que le esperaba atravesado en la calzada desde que salió de la parada de Casasola.

Es el momento que nosotros elegimos para saltar fuera de las cunetas.

—¡Quietos todos! ¡Quietos todos en sus asientos!

Antes de que los viajeros hayan podido darse cuenta, Ramiro grita ya en el interior del coche:

—¡Vayan bajando y poniéndose contra la peña! ¡Con las manos en alto! ¡Vamos —le ordena al chófer—, usted el primero!

Los viajeros obedecen con rapidez y en silencio. Como un rebaño asustado, van descendiendo del coche y alineándose contra la peña. Alguno nos mira de reojo tratando de reconocernos. Pero el embozo calado de los pasamontañas y la amenaza de las metralletas les hace desistir en seguida de su intento.

Ramiro desciende el último. Enfunda la pistola y comienza a cachearles de uno en uno. El dinero lo guarda en un bolsillo y las carteras las arroja en un montón a la cuneta. Los viajeros se dejan registrar, resignados. Sólo, de vez en cuando, Ramiro pasa de largo a alguno de ellos: a ese que, por su aspecto, le parece que necesita más que nosotros el dinero, o a esa mujer joven, con un niño apretado entre los brazos, que en más de una ocasión nos ha ayudado. Pero lo hace sin que el resto de los viajeros pueda darse cuenta.

El registro dura apenas cinco minutos. Cuando termina, Ramiro se echa a un lado:

—Pueden volver al coche. Con las manos en alto, recuerden.

Los viajeros obedecen, ahora aún con mayor rapidez que antes. Ocupan sus asientos en silencio sin atreverse siquiera a mirar por las ventanillas.

Los dos últimos arrastran el tronco hasta la cuneta y lo dejan rodar por la pendiente varios metros.

—¡Vamos!

El rugido del motor rompe de nuevo el silencio profundo de la mañana. El coche se despereza, concluido su descanso inesperado, remonta lentamente el final de la pendiente y se pierde tras la última curva envuelto en una nube de humo negro.

El mandil de cuadros azules está colgado en el huerto, entre los brazos del cerezo que mi padre plantó junto al pozo el día que enterraron a mi madre para recordarla cada vez que el verano volviera a La Llánava.

El mandil está seco. Juana o mi padre lo han colgado para avisarme de que los guardias vigilan la casa.

—¿Siguen ahí?

Es la voz de María, a mi espalda.

—Sí.

—Pues vuelve a la cama. Duérmete.

—Llevo dos días durmiendo. Llevo dos días y dos noches aquí encerrado.

—¿Y qué? —la voz de María es espesa, pesada—. ¿No estás mejor que en el monte?

La rendija de la ventana deja entrar una raya de luna que atraviesa el cuarto en penumbra y se estrella contra la cama. Poco a poco, mis ojos vuelven a acostumbrarse a la oscuridad, al orden sombrío de los objetos: el armario de nogal barnizado: el arca que guarda entre ramas de menta la ropa de María: el espejo partido donde se apoya mi metralleta.

María se aprieta suavemente, de espaldas, contra mí.

—Hueles a monte —me dice—. Hueles como los lobos.

—¿Y qué soy?

María se vuelve y se queda mirándome. Siento el temblor de su cuerpo, desolado y caliente bajo la combinación. Este ácido temblor de mujer solitaria, hermosa y joven todavía, pero ya condenada para siempre a esperar a una sombra, a un fantasma. A alimentar el recuerdo de un hombre que jamás volverá. Esta mujer que, en los últimos años, tantas noches ha fundido en la mía su soledad.

—No podéis seguir así, Ángel. No podéis estar siempre viviendo como animales. Peor: a los animales no les persiguen como a vosotros.

—¿Y qué hacemos? ¿Nos metemos un tiro en la boca o nos entregamos para que ellos nos ahorren el trabajo?

María me mira en silencio, sin contestarme. Aplasta su vientre contra el mío y comienza a besarme. Yo noto que la sangre me sube hasta la boca de repente, en oleadas. La beso con fuerza, casi con rabia, como si nunca antes la hubiera besado. Como si las interminables noches de soledad y de deseo en el fondo de la cueva brotaran juntas de mi garganta. Como si sólo ahora, y nunca más, pudiera ya besarla.

Ella, lentamente, rodea mis caderas con sus piernas y mis ojos con su mirada.

Me despiertan las campanadas de la iglesia: lentas, monótonas, lejanas.

María, abrazada a mí todavía, se vuelve de espaldas, sin despertar. Se estira la combinación arrugada hasta la cintura y continúa durmiendo.

Sobre la mesita de noche, junto a la pistola y el tabaco, el reloj marca las cinco de la mañana.

Me levanto sin hacer ruido y me deslizo hasta la ventana. La luna se estrella contra mis ojos, cegándome. Pero, en seguida, se oculta tras una nube dibujando en la noche, entre los árboles y los tejados de La Llánava, el huerto de la casa de mi padre.

El mandil de cuadros azules de Juana ya no está allí.

En el nogal de María anida esta noche la luna. Rasga su luz las sombras de las tapias mientras me alejo en silencio de la casa, despacio, sigiloso, como cuando de niños buscábamos aquí la fruta prohibida de los huertos o de las bocas rojas de las muchachas.

Sólo que, ahora, mi metralleta va dejando en el suelo una sombra de muerte, una espiga alargada.

Mi padre ha dejado abierto por dentro, como todas las noches, el postigo trasero que da al callejón.

Basta encaramarse por él a la leñera, caminar agachado sobre los fejes de roble y urces secas y descolgarse, ya adentro, hasta el desván en sombra del corral en el que duermen su sueño de siglos el carro y los aperos. Y donde siempre dormía también *Bruna* antes de que un guardia le reventase la cabeza de un disparo.

Dentro de casa, la oscuridad es absoluta. El pasillo se alarga como una boca negra hacia el nacimiento de la escalera y la puerta de la cocina que la llama del mechero dibujan ante mí.

Un crujido de tablas en la escalera. Una voz conocida:

—¿Ángel? ¿Eres tú?

Mi padre está en el rellano, vestido todavía.

—Soy yo, padre. ¿Qué hace levantado?

Él no contesta.

—Sube —me dice—. Date prisa.

Y se pierde por la escalera sin esperarme.

Me he quedado parado en la puerta, inmóvil, anonadado. Como si acabara de recibir una descarga.

Sobre la cama, el reflejo amarillo de una vela ilumina el cuerpo de mi hermana, desmadejado, con la cabcza colgando sobre una palangana llena de agua ensangrentada.

Mi padre se sienta junto a ella. La ayuda a incorporarse, a reposar la cabeza sobre la almohada.

Juana me mira con los ojos arrasados por las lágrimas:

—Ya estoy bien, Ángel. No te preocupes. Ya se pasó —me dice con voz quebrada—. Fue un vómito, ¿sabes?

Y se queda en silencio, agotada, mientras lentamente va asomando entre sus labios una baba espesa y rosácea que mi padre se apresura a limpiarle con el borde de la sábana.

—La pegaron. La llevaron a la cuadra y allí la molieron a golpes y a patadas —al contraluz amarillo de la vela, mi padre parece una rama rota por la impotencia y la rabia—. A mí no me dejaron salir de la cocina. Conmigo no se atreven, ¿sabes? Conmigo no se atreven esos hijos de puta.

Y, luego, ya menos excitado:

—Estoy asustado, Ángel. Ha estado escupiendo sangre.

—Avise a algún vecino y que bajen a Cereceda a buscar al médico. Usted no se mueva de aquí. Usted quédese con Juana.

—Se negará a venir, ya lo verás. Como otras veces. El médico es peor todavía que los guardias.

—Al menos, que lo sepa. Y que sepa que, algún día, yo puedo estar esperándole.

Mi padre se queda en silencio mirando a mi hermana. Le limpia otra vez los labios con la sábana.

Yo sigo en la puerta sin encontrar las palabras capaces de consolarle. Sin saber cómo decirle que sufro más por ellos que por mí. Sin saber cómo acabar con este círculo sangriento e interminable.

Por eso, doy media vuelta y me voy sin decir nada.

Gildo —sobre sus anchos hombros, a lo lejos, el perfil de las montañas, los despojos sangrientos de un cielo que atardece— abre el bote de carne con la navaja.

Y señala, detrás de él, las crestas imponentes de Morana.

—Podríamos subir por el río.

Ramiro muerde un trozo de carne sin demasiadas ganas:

—¿Y por dónde lo cruzamos? —pregunta—. Ahora viene crecido.

—Por el puente.

—¿El del Ahorcado?

—Claro.

Ramiro niega con la cabeza:

—Ni hablar. Eso es una ratonera. Un solo guardia, escondido en la peña, nos cosería. Iremos por arriba, por Peña Negra. No tenemos ninguna prisa.

Ramiro, como siempre, desconfía. Estudia cada uno de nuestros pasos sin dejar nada al azar, a la buena fortuna. A veces, me resulta difícil reconocer en él a aquel niño tímido y callado con el que tantos días compartí los juegos de la escuela o el cuidado del ganado en las vegas de La Llánava. Me resulta difícil porque ahora, frente a mí, hay ya sólo un hombre lejano e inaccesible, un animal acorralado que sabe que, más tarde o más temprano, acabará acribillado a balazos en cualquiera de esos montes que ahora observa con mirada indescifrable.

—Guarda el bote —le dice a Gildo—. Puede servir para algo.

Gildo guarda el bote en su mochila y reanudamos la marcha.

Los tres sabemos para lo único que puede sernos útil ese trozo de hojalata, una vez lleno de pólvora y metralla.

En Peña Negra, la noche es una lámina de estrellas y de arándanos.

A medida que avanzamos, bordeándola, la vegetación desaparece poco a poco bajo el alud de piedras desprendidas que cubre la ladera. El valle va quedando cada vez más abajo, cada vez más hundido en la marea de helechos y piornos por el que corre, rumoroso, el río Susarón.

En Peña Negra, sólo hay arándanos. Y piedras. Y soledad. Y estrellas.

En Peña Negra, sólo hay tres sombras que caminan en silencio contra el viento.

La Llera, sobre el cauce tajado del río, es un puñado de casas y negrillos acurrucados, como un rebaño, al pie de Peña Negra.

Justo delante de las primeras casas, una pradera verde y jugosa —blanca bajo la luna— se lanza por la pendiente buscando el frescor del agua. Luego, ya abajo, se extiende plácidamente a ambos lados del río que se aleja en dirección a Vegavieja y los lavaderos de carbón de Valselada.

La Llera tiene una iglesia arruinada, un torreón medieval carcomido por el tiempo y los líquenes silvestres y una escuela de piedra donde yo explicaba la lección diaria la mañana en que llegó aquí la guerra. Nunca, desde aquel día, había vuelto a verla.

Ahora, sin embargo, estoy junto a ella, escondido a su sombra con Gildo y Ramiro. Y, a través de las ventanas, puedo ver, levemente iluminados por la luna, los pupitres alineados, la mesa del maestro —mi vieja mesa—, el encerado de pizarra en la pared. Todo como yo lo dejé aquella mañana de verano.

Pero ni Gildo ni Ramiro tienen aquí ningún recuerdo. Y esperan, impacientes, observando la casa que acabo de indicarles.

—El portón está abierto —dice Gildo.

—Sí. Pero hay que ir con cuidado. Seguramente estará armado.

La hoja del portón se entreabre sin ruido. El corral está en sombra, en silencio. Pero una luz rojiza se adivina al fondo, enredada en las telarañas de una ventana.

De pronto, un perro nos sale al paso. Con ojos amenazantes. Pero, antes de que pueda darse cuenta, un nudo corredizo se abraza a su garganta. El animal se queda mirándonos, colgado de la rueda del carro, con los ojos manchados de sorpresa y de sangre.

Desde la ventana de la cuadra, veo al hombre que venimos buscando. Está sentado en una banqueta, ordeñando.

Gildo y Ramiro se quedan afuera para cubrirme la retirada.

El hombre se vuelve en su asiento, sin soltar el caldero, alertado por los pasos. Al principio, simplemente sorprendido. Pero, cuando me ve, los músculos del cuello y de la boca se le contraen violentamente y su rostro palidece por completo. Me mira con ojos incrédulos, desorbitados.

—¿Qué pasa, Guillermo? —estoy parado frente a él, en medio de la cuadra—. ¿Ya no me reconoces?

Él ni siquiera se atreve a contestarme.

—Me miras como si estuvieras viendo a un muerto.

El caldero se le cae de entre las piernas dejando un charco de leche sobre la paja. Las vacas se revuelven asustadas.

—¿O es que acaso pensabas que había muerto?

—No, no. ¿Por qué dices eso?

Ha hablado al fin, con voz mansa y asustada, muy distinta de aquella que encabezaba mi búsqueda la noche que permanecí escondido en un pajar antes de conseguir escapar a la montaña.

—¿No habías vuelto a saber nada de mí?

—Sí —susurra apenas—. Sabía que andabas huido. En el monte.

—¿Y nunca pensaste que podría venir a visitarte?

Él no responde. Ha palidecido definitivamente más allá de los límites del miedo soportables y un sudor frío, amarillento, le recorre la cara.

Se levanta sin dejar de mirarme.

—¿Qué vas a hacer, Ángel? ¿Qué vas a hacer?

Levanto la metralleta en dirección a ese bulto desmadejado, a esa imagen borrosa que me suplica con los ojos la compasión que ya no puede pedirme con palabras.

Y espero unos segundos a que el silencio se hinche como una nube antes de reventarlo:

—Escúchame, Guillermo. Esta vez no voy a matarte. ¿Me oyes? Esta vez no voy a matarte. Pero, ahora mismo, en cuanto me haya ido, coges la yegua y vas a Cereceda a ver al sargento de mi parte. Dile que esto es solamente un aviso. Por lo de mi hermana. Él ya sabe. Pero que, la próxima vez, alguien, tú por ejemplo, aparecerá con un tiro en la carretera. ¿Me has entendido, Guillermo? ¿Me has entendido?

Guillermo ya no puede contestarme. Se ha doblado con los ojos vidriados, sobre el pesebre, y ha empezado a vomitar ácidamente.

Capítulo VI

El arroyo del bosque de Las Loberas nace en los altos neveros de Peña Barga, salva la vertical de la cascada de Morana —restallando en su salto contra las palas de la hidroeléctrica— y bordea por el norte Peña Illarga, entre macizos de musgo y castaños salvajes, buscando el magnetismo del molino de Pontedo y del cauce ya cercano del río Susarón.

El arroyo del bosque de Las Loberas, por el camino, forma tajos de vértigo y rápidas torrenteras, rabiones, hoces embravecidas y pozos de espuma negra. Y, también, de cuando en cuando, mansas tabladas donde se agrupan las truchas en las noches de verano y luna llena.

Gildo, metido en el agua hasta la cintura, aparece entre la maleza:

—Vamos, Ángel. Acerca la cesta.

Trae una trucha en la mano. Le arranca la cabeza con los dientes y la arroja a la orilla, sobre la hierba.

—Esto está lleno de truchas —me dice—. Estáte atento.

Gildo desaparece de nuevo entre la maleza. Se sumerge en el agua y reanuda la búsqueda bajo las ovas espesas.

Yo me quedo en la orilla vigilando la cesta y la noche. Vigilando esa luna que tiembla junto a mis pies como una trucha muerta.

Cuando volvemos a la cueva, Ramiro espera ya con las últimas noticias de la radio.

Ha bajado a escucharla a casa de Julio, el caminero de Ancebos, en ese viejo aparato milagrosamente salvado de múltiples registros y requisas por el que, una noche de lluvia —hace ahora justamente ocho semanas—, oímos, sobrecogidos, el último y definitivo parte de la guerra.

—Las fronteras siguen cerradas —dice Ramiro—. Y todos los trenes y carreteras vigilados. No queda otro remedio que aguantar.

Gildo y yo le escuchamos sin demasiado interés. Los dos sabíamos ya lo que Ramiro iba a contarnos: registros, paseos, fusilamientos... Lo mismo, exactamente, que, desde que estamos en el monte, venimos escuchando.

Gildo ensarta seis truchas en un alambre y las pone a asar sobre el fuego. El resto las limpia y las sala y las saca fuera de la cueva para que se oreen.

—No queda otro remedio que aguantar —dice, mirando a Ramiro, con una sonrisa.

Cuando acabamos de cenar, Gildo y Ramiro se quitan las botas y las chaquetas, encienden sendos cigarros y se tumban en sus camastros, cerca del fuego.

Son las cuatro de la madrugada y, esta noche, yo haré ya la guardia entera.

Desde la boca de la cueva, con el pasamontañas calado y la metralleta cruzada sobre las piernas, no tardo en escuchar el bombeo regular y monótono de sus corazones cansados, las respiraciones profundas que preceden al sueño. Poco a poco, el monte comienza a recobrar la perfección de las sombras y sus misterios, el orden primitivo que la noche y el fuego disponen frente a mis ojos. Poco a poco, todo va quedando sepultado bajo la ingravidez profunda del silencio. Incluso esa luna fría, clavada como un cuchillo en el centro del cielo, que me trae siempre al recuerdo aquella vieja frase de mi padre, una noche volviendo cerca del cementerio:

—Mira, hijo, mira la luna: es el sol de los muertos.

Al amanecer, oigo la voz del águila huyendo, la descarga violenta del hacha y el estrépito seco del árbol que cae con una marea lenta de ramas desgajadas.

Así, uno tras otro, hasta formar un pozo de sol claro en medio del hayedo.

A las ocho, alta ya la nube azul de la mañana, los leñadores hacen un alto para desayunar. Sentados en un tronco, nos ven aparecer entre las hayas disimulando la inquietud que les producen nuestras armas.

El capataz nos ofrece la bota de vino.

—No está muy bueno —se disculpa—. El niño la dejó al sol y el vino se ha calentado.

El niño no dice nada. El niño —un muchacho de trece o catorce años— nos mira en silencio, con una mezcla de admiración y miedo, desde que llegamos.

El vino sabe a monte y a cuero sobado. Tiene el aroma rancio de las hierbas escasas, largamente guardadas. Pero aún puede apagar el primer sol de la mañana.

—Lo trajimos de abajo, de La Moraña —explica el capataz—. Nosotros somos del aserradero de Valselada. Hace sólo un par de días que estamos por aquí.

Los leñadores tienen la tienda cerca: unas mantas sujetas con palos. La montan y desmontan cada día según la ruta que les marque su trabajo.

Dicen que somos los primeros que encuentran desde que llegaron.

—¿Quiénes?

El capataz nos mira con sorpresa:

—Ustedes.

Ramiro le dedica una sonrisa amenazante.

—A nosotros no nos ve nadie —dice—. Nadie. ¿Está claro?

El capataz ha comprendido. Asiente con la cabeza en medio del profundo silencio de sus compañeros. Un silencio que se alarga, temeroso, hasta que nos ven desaparecer definitivamente entre los árboles.

Aunque, todavía cerca, oigamos la voz del niño preguntando:

—Son ellos, ¿verdad? Los del monte.

Lo ha dicho entre feliz y asustado. Como si una manada de lobos hubiera pasado a su lado sin hacerle daño.

En la cumbre del puerto de Láncara, hacia las fuentes del arroyo Nogares, el rebaño de las merinas es una nube de lana tendida al sol. Ayer llegaron en el tren a la estación de Cereceda y, desde allí, atravesando los campos de La Llánava y Candamo, remontaron la vieja cañada que sube hasta el puerto, hasta los pastos altos y las majadas de verano.

Desde que llegó y extendió su manta sobre la grama, el pastor debe de estar esperándonos.

Cerca del chozo, varios corderos lamen bolas de sal en un tronco ahuecado y sujeto entre bálagos. Los mastines están arriba, con el rebaño. Pero una perra carea, llena de tedio y manchas marrones, sale del cobertizo y comienza a ladrar cuando nos ve aparecer al extremo del cercado.

En seguida, un hombre se asoma a la puerta de la cabaña. La perra acude a su lado y los dos se quedan mirándonos mientras nos acercamos.

—Tenéis bien vigiladas las fronteras, ¿eh? —nos saluda el pastor cuando llegamos a su lado.

—Gracias a eso estamos vivos todavía —le responde Ramiro observando el interior del chozo desde el ángulo en sombra de la puerta.

—No tengas miedo —sonríe el pastor—. Sois los primeros en venir a visitarme.

El pastor, como siempre, se alegra de encontrarnos. El pastor no nos teme. Es un hombre del monte, como nosotros, y en más de una ocasión nos ha ayudado.

Y todos los veranos, cuando llega, nos separa el mejor cordero del rebaño.

—Estaba reparando un poco esto —dice entrando otra vez en la cabaña—. Este invierno, la nieve nos hundió parte del techo.

En efecto, una ancha grieta en los cuelmos de paja, ablandada y oscura, deja escapar hacia el cielo la columna de humo que sube de la olla requemada en la que cuece la comida del pastor.

—Migas. Las hice anoche y las saqué a ablandar debajo de las estrellas. Habéis llegado a tiempo.

El pastor busca en un viejo cajón cuatro cucharas y se sienta con nosotros en torno a la olla. La perra acude a tumbarse junto a su dueño, al conjuro del aroma profundo que se esparce por toda la estancia.

—La verdad —dice el pastor— es que no estaba muy seguro de encontraros.

—¿Tan poco apuestas por nosotros?

—Poco, poco. Ya podéis imaginaros. Pero, este año, con la guerra acabada, mucho menos todavía. Pensé que, si no habíais escapado, estaríais ya los tres criando ortigas en cualquier barranco.

Gildo sonríe hundiendo su cuchara en la olla de las migas.

—Antes de eso —le dice—, aún tendrás que apuntar a la cuenta del lobo unos cuantos corderos más.

—Puedes creerme que nada me alegraría más que eso.

Mientras comemos, el sol, en el vértice ya de la bóveda del puerto, comienza a deslizarse a través de la grieta abierta por la nieve en la techumbre. Y es muy dulce —después de una noche entera de guardia y con el sueño agarrado ahora como hiedra a los ojos— su caricia amarilla y espesa en la piel. Y profundo el olor a tomillo que trae en sus partículas para fundirlo suavemente con el vapor caliente de las migas. Sí, sin duda es una suerte poder estar así: apoyado contra las lajas frías de la pared de la cabaña, saboreando la comida del pastor, escuchando el crujido de los troncos quemados, la conversación cansina y amiga que poco a poco va apagándose, el sonido de la esquila que busca en la montaña el frescor de la grama y la flor del piorno.

No sé cuánto tiempo he estado durmiendo: seis, siete horas, tal vez más. Pero, al abrir los ojos, el sol se abalanza sobre ellos como un alud de trigo dolorido y amargo.

Estoy solo en el chozo. Escucho brevemente: nada, una esquila lejana. Mi cuerpo rechina, al levantarme, como un viejo baúl destartalado. Desde la puerta, veo al fin a Ramiro y a Gildo, con el pastor, apartando un cordero en los salegares. Me ha sido difícil reconocerles:

los dos se han afeitado, como cada verano, con las tijeras de esquilar. El sol está sangrando y me hiere los ojos. Pero puedo ver el rebaño que baja ya por la ladera de la montaña. Pronto estará junto a la puerta del cercado. Pronto será de noche. Otra vez.

—Vamos, Ángel —me llama Ramiro—. Marchamos.

A la puerta del chozo hay una caldera con agua. Sumerjo la cabeza y su lengua me atraviesa como una cuchillada.

En el monte de Pontedo, nos separamos. Ramiro se queda esperándonos, con el cordero, y Gildo y yo bajamos hasta el pueblo para ejecutar el golpe que, desde ayer, teníamos previsto. Hay que acumular reservas para el invierno.

He corrido, agachado, hasta el pilón lleno de estrellas, en el centro de la plaza. Le hago una seña a Gildo con la mano y él corre a parapetarse a mi lado, bajo el chorro de agua que golpea implacable las columnas azules que sostienen la noche, el reflejo de un cielo convertido de pronto en un inmenso abrevadero para animales muertos.

Al otro lado de la plaza hay luz. Una bombilla desmayada recorta ante nosotros el cuadro de una ventana. Es la cantina del Zurdo, la tienda de Pontedo. Gildo y yo la recordamos bien: la entrada flanqueada por la parra silvestre bajo la que se sentaban, las tardes de domingo, con sus mandiles de moras y sus miradas lejanas, las muchachas del pueblo: el mostrador de hule gris y desgastado: la vieja estantería de madera repleta de botellas y latas de conserva y paquetes de legumbre: la bombilla colgada como un fruto irreal de una viga del techo.

La cantina del Zurdo, la tienda de Pontedo. Gildo y yo irrumpimos en ella al mismo tiempo. Como llegados del fondo de la noche y del olvido. Como arrojados por un alud de estrellas que se cuelan por la puerta que yo acabo de abrir de un golpe inesperado y seco.

Los cuatro hombres que charlaban confiados alrededor de una mesa se han vuelto hacia nosotros con la incredulidad y la sorpresa grabadas en los ojos. Quizá intentan imaginarnos todavía escondidos en las cuevas del monte o entre la hierba seca de algún pajar anónimo. Pero, instintivamente, se han levantado de sus sillas y retrocedido con las manos en alto hacia la ventana. Se quedan así, inmóviles y muy juntos, contemplando en silencio cómo Gildo salta ya al otro lado del mostrador y comienza a llenar un fardel de paquetes y latas mientras yo les encañono con mi metralleta desde la puerta.

Conozco bien a los cuatro: al Zurdo, el dueño de la cantina, grueso y sanguinolento bajo su guardapolvos negro: a Emilio, el guarda del río: a don Pedro, el secretario del ayuntamiento, borracho ya, como todas las noches: y a Flavio, el herrero de...

—¡Sois unos hijos de puta!

El grito ha restallado como un relámpago contra el silencio de la cantina. Pero, mucho antes de que intentase buscar la pistola en el bolsillo de la chaqueta, yo le había ya adivinado la intención en los ojos. Don Pedro, el secretario del ayuntamiento, con el rostro congestionado por el vino y la ira, se agitaba nervioso tras su vientre de alcohólico esperando un descuido mío. La ráfaga, sin embargo, le ha atravesado la garganta de abajo arriba y se ha ido a incrustar en las vigas del techo con un zumbido sordo de enjambre enfebrecido. El secretario se desploma como un fruto maduro sin dejar de mirarme: la mano hundida todavía en el bolsillo interior de la chaqueta, como buscando el tabaco para liar el último cigarro de su vida.

Cuando Gildo y yo abandonamos atropelladamente la cantina, un aluvión de estrellas se cuela por la puerta abierta y se posa y se hunde en los ojos helados, sorprendidos, del muerto.

—¿Qué ha pasado? ¿Qué ha pasado ahí abajo?

Ramiro nos ha salido al encuentro en la cuesta del monte. Ha escuchado los tiros.

Gildo y yo nos detenemos, jadeantes, agotados.

—He matado a don Pedro —le digo—. El secretario del ayuntamiento.

Por la carretera de Cereceda, los faros amarillos de una camioneta rasgan ya las entrañas de la noche acercándose a gran velocidad.

—¡La fuerza! —grita Gildo—. ¡Vamos! ¡Vámonos!

—¡Quieto, Gildo, tranquilo! —le detiene Ramiro—. Ahora no van a subir. No se atreverán.

La camioneta entra en las calles de Pontedo y aparca bruscamente junto a la cantina. A la luz de los focos, desde la cuesta del monte, vemos a los guardias que descienden a tierra y a los dos hombres que aparecen en la puerta llevando el bulto desmadejado del secretario muerto. Le tumban en la parte trasera de la camioneta y ésta gira con brusquedad sobre sí misma buscando nuevamente la carretera de Cereceda.

El resto de los guardias entra en la cantina.

—¡Qué hemos hecho! ¡Qué hemos hecho, Dios mío! Es Gildo.

Ramiro le mira con frialdad.

—¿Quieres callarte? —le grita—. ¡Le hemos matado! ¡Sí, le hemos matado! ¿Me oyes? ¡Está muerto! Así que déjale las quejas a la viuda.

Yo estoy de pie entre las urces. Inmóvil. Escuchando mi propia respiración entrecortada, los ladridos lejanos de los perros del pueblo, la ráfaga de metralleta que siega una y otra vez, interminablemente, la garganta del secretario.

—Él se lo buscó —me dice Ramiro—. Yo, en tu lugar, habría hecho lo mismo.

—Pero tú sabes lo que esto significa, Ramiro. Ya no tenemos vuelta atrás.

—Nunca la hemos tenido —me responde él mirando a Gildo—. Tú sabes que nunca la hemos tenido.

Capítulo VII

A las ocho en punto, suena la campana. El convoy —una máquina de carbón y cuatro vagones viejos— se contrae con un ronco rugido, lanza al aire una columna de humo y comienza a arrastrarse por la vía llevándose consigo los últimos jirones de la tarde.

El jefe del apeadero espera en el andén hasta que el tren desaparece de su vista. Consulta, luego, el reloj de la pared, comprueba que nadie queda ya esperando y regresa a su despacho con gesto satisfecho.

Una jornada más ha terminado.

—Lina me dijo que quería vernos.

—Sí. Pero no aquí. Esto es muy peligroso.

El jefe del apeadero, un hombre ya mayor, antiguo compañero del padre de Gildo, va nervioso de un lado a otro del despacho. Aunque el apeadero está alejado de las primeras casas de Candamo —y separado de él por una hilera verde de negrillos—, ha cerrado la puerta con llave y ha bajado la trapa de la ventanilla y apagado la luz dejándonos a oscuras por completo.

E insiste en que él está dispuesto a ayudarnos siempre que no le hagamos correr ningún riesgo:

—Le dije a tu mujer que yo establecería el día y el lugar para el encuentro.

Lo que el jefe del apeadero ignora es que, si estamos ahora aquí, es justamente para evitar un encuentro fijado de antemano y la posibilidad de alguna sorpresa desagradable. Su vieja amistad con el padre de Gildo no es, para nosotros, suficiente garantía.

—Marcharemos en seguida —le dice Gildo—. No tenga miedo.

El hombre, resignado, retira la cafetera que borbotea sobre la estufa. En la oscuridad —a la que, poco a poco, me he ido acostumbrando—, le veo vaciar el contenido en un tazón de aluminio y apurarlo de un solo trago.

—Bien. Pues, entonces, acabemos cuanto antes —dice—. Dentro de quince días sale para Bilbao un mercancías vacío. El maquinista es de la máxima confianza y el tren irá sin retén de guardia. Si estáis de acuerdo, yo me encargaré de conseguiros salvoconductos y uniformes de la Compañía.

Gildo consulta con una mirada con Ramiro y conmigo.

—¿Y luego? —pregunta.

—Conozco a alguien que está dispuesto a pasaros a Francia en barca. No es la primera vez que hace este trabajo.

Ramiro, que, como yo, ha permanecido en silencio todo el tiempo, se acerca a la ventanilla. Observa un instante por la rendija el andén vacío. Pregunta desde allí:

—¿Cuánto?

El jefe del apeadero —la cafetera en la mano— duda un instante:

—Ten en cuenta que somos tres a repartir: el maquinista, el de la barca y yo...

—¿Cuánto? —repite Ramiro en tono seco.

Hay otro breve instante de silencio. El jefe del apeadero, en lugar de responder, va hacia el armario y coge un sobre azul del cajón. De su interior saca tres pasquines cuidadosamente doblados y despliega el primero sobre la mesa:

ÁNGEL SUÁREZ REYERO

> Natural de La Llánava, ayuntamiento de Cereceda, provincia de León. Nacido el 8 de agosto de 1912. Soltero. Alto, complexión atlética, tez clara, ojos claros y pelo rubio. Maestro de escuela y miembro del ilegal sindicato C.N.T., enemigo del Glorioso Alzamiento Nacional. Integrante de

la partida de Ramiro Luna Robles, apodado el «Manco de La Llánava». Autor del asesinato del señor secretario del ayuntamiento de Pontedo don Pedro Ituero Ituero, así como de múltiples actos de robo, pillaje y bandolerismo por la zona del partido de La Moraña.

—Los otros dos son los vuestros —les dice el jefe del apeadero a Ramiro y a Gildo—. Más o menos, iguales. Los trajo esta tarde un número de la Comandancia con orden de ser colocados al público en el andén.

Ramiro y Gildo ni siquiera se molestan en leer los suyos. Me miran en silencio buscando una respuesta que yo no puedo darles ni siquiera con los ojos, clavados en este papel azul que proclama en grandes letras mi nombre y mis señas personales y, debajo, la recompensa que ofrecen por mi cabeza: cincuenta mil pesetas.

—Eso es lo que nosotros pedimos: cincuenta mil por cada uno. La libertad en lugar de la muerte y por el mismo precio. Creo que es justo.

Ramiro se le queda mirando fijamente. No ha dejado de hacerlo desde que entramos, buscando quizá detrás de sus palabras la hipotética sombra de traición que éstas pudieran ocultarnos. Ramiro se le queda mirando y le pregunta a bocajarro:

—¿Y por qué supone usted que debemos fiarnos?

Justo en ese momento, hemos oído los pasos en el andén.

Instintivamente, los cuatro nos hemos quedado inmóviles, conteniendo la respiración. Ramiro ha encañonado al jefe del apeadero, que, aterrado, intenta convencernos con los ojos de que él no nos ha traicionado.

Afuera, junto a la puerta, se oye una voz:

—No hay luz. Habrá marchado ya.

Pero unos nudillos secos golpean la ventanilla.

Ramiro le hace una seña con la pistola al jefe del apeadero para que se quede quieto. Los cuatro podemos escuchar el ritmo acelerado de nuestros corazones.

En el andén, se vuelve a oír la misma voz:

—No hay nadie.

Y otra que le responde:
—Vamos.

Hemos esperado casi cinco minutos completamente inmóviles, en medio de un silencio absoluto, escuchando los pasos que se alejaban, primero por el andén y más tarde por la vía, en dirección a Ferreras. Y en la oscuridad del despacho, el jefe del apeadero, encañonado siempre por la pistola de Ramiro, ha ido palideciendo hasta tomar un color mortuorio. Seguramente ha estado a punto de gritar de pánico.

Es Ramiro el primero en moverse. Despacio, sin hacer ruido, se desliza hasta la ventanilla y escruta largo rato a través de la rendija los alrededores del apeadero.

—Van por el paso a nivel —dice al fin—. Eran los guardias.

Y, luego, volviéndose hacia el jefe del apeadero, con una sonrisa:

—Siéntese. No tenga miedo. Ahora ya sé que podemos confiar en usted.

La casa de Gildo es la última de Candamo. Se alza sobre los tejados de las demás, ya en la falda del monte, al borde del camino del cementerio. La casa de Gildo es la única de Candamo desde la cual puede verse, en la lejanía, los tejados y las luces de La Llánava. Quizá por eso, cuando Gildo sintió llegado el tiempo que para el amor señala la costumbre, fue allí a encontrar a Lina.

Y ahora es ella, muertos los padres de Gildo y huido él al monte, la única que habita, con el niño, la vieja casa de corredor sombrío y chimenea de teja que se alza como un faro perdido en la noche de julio. Como tantas y tantas noches, Gildo ha de resignarse a mirarla de lejos —y a recordar la soledad de su mujer y su hijo— mientras nos alejamos junto a las tapias del cementerio brotado de hortelana y de luna donde duermen, también en soledad, sus padres.

—¿Tú qué piensas, Ramiro?

Ramiro fuma en silencio, tumbado en su camastro, en medio de la oscuridad. Gildo está fuera, en la peña, haciendo la guardia. Nadie puede dormir esta noche.

—¿Y tú? —me devuelve él la pregunta.

—No sé. Puede ser nuestra última oportunidad —le digo—. Creo que debemos aprovecharla.

Durante unos segundos espero su respuesta. En vano. Ramiro aplasta su cigarro contra el suelo y se da media vuelta para seguir rumiando a solas su incertidumbre.

Abro los ojos y un gran charco de sangre los inunda. Es el sol, que está prendido como un animal degollado de la navaja de Gildo.

Me levanto y me siento a su lado. Gildo está tallando con su navaja una cepa de urz. Una más de las innumerables que ha tallado, en larguísimas horas muertas, para acabar arrojándolas siempre, invariablemente, a la lumbre.

—¿Ramiro?

—Ahí fuera, lavándose —responde Gildo—. Acaba de despertarse.

Yo lío un cigarro y me pongo a fumar en silencio contemplando el piornal incendiado por el sol de julio. La mañana está limpia, sin una nube. La luz es dura y azul. Y hay una alondra de piedra cantando en el piornal. Una alondra de piedra que nunca nos abandona.

—Creo que deberíamos esperar —dice Gildo después de un rato.

—¿Esperar? ¿A qué?

—Hemos aguantado aquí ya dos años. Los peores. Esto no va a durar siempre.

Gildo habla sin mirarme, aparentemente ensimismado en su trabajo. Pero, en su voz, advierto un acento agrio, una mezcla de reproche y de súplica. Como si yo fuera el culpable de nuestra situación.

—Mira, Gildo. Esta nuestra es una guerra perdida. Y tú lo sabes tan bien como yo.

—Yo lo que sé —dice él mirándome por fin— es que Franco está al caer. Ya no puede aguantar mucho más.

—Yo soy el que no aguanta ya más. Estoy harto, Gildo. ¿Sabes? Harto, vencido, desesperado. Y voy a aprovechar esta ocasión.

Gildo se queda un instante en silencio, mirándome. Luego, arroja con rabia la cepa que estaba tallando en medio del piornal.

—Para vosotros es muy fácil marchar —me dice—. Pero yo tengo una mujer y un hijo, solos, ahí abajo.

Hemos comido en silencio, sin ganas.

La ocasión que tanto hemos esperado, el sueño de tantos días, de tantos años, está aquí por fin. Y, ahora, extrañamente, no sabemos qué hacer. No es el miedo a un país y a un futuro desconocidos. Ni siquiera el temor a una posible traición de quienes han de ayudarnos a huir. Es el apego a esta tierra sin vida —sin vida y sin esperanza— el que se impone como una losa sobre nosotros.

Pero hay que decidir. Yo ya lo estoy desde el primer momento. Gildo continúa dudando. Sólo falta saber la opinión de Ramiro.

—De acuerdo —dice éste, por fin, como si hubiera adivinado mis pensamientos—. Esta noche mandaremos aviso a Lina para que vayan preparándolo todo.

Gildo nos mira decepcionado. Está solo. Ya lo sabe. Y sabe también que, solo, no puede seguir aquí.

Pero aún se agarra a una última posibilidad.

—Todavía no me habéis dicho dónde pensáis encontrar ciento cincuenta mil pesetas.

—Yo sé dónde —responde Ramiro—. Yo sé dónde podemos encontrarlas.

Capítulo VIII

El coche, por las afueras de Ferreras, atraviesa los hangares y escombreras de la mina, junto a la carretera, cruza el puente del río y se desvía suavemente por el estrecho camino bordeado de fresnos que remonta, campo adentro, la ribera.

Al final, a unos trescientos metros, los faros dibujan en la noche una pared de piedra y, tras ella, un caserón antiguo y orgulloso de su aislamiento. El coche se detiene frente a la verja y un chófer uniformado desciende a abrirla. Luego, vuelve sobre sus pasos e introduce lentamente el automóvil en el jardín.

Del asiento trasero desciende don José, el dueño de la mina. Contempla brevemente los frutales bañados por la luna, recoge su cartera y se dirige con aire satisfecho hacia la puerta donde ya han salido a recibirle su mujer y sus dos hijas. Es el rito de cada noche, la costumbre invariable del hombre que puede disponer plenamente de su vida y de su tiempo y de la vida y del tiempo de todos los suyos.

El chófer, entretanto, lleva el coche hasta el garaje, entre los setos de hiedra y el estanque dormido.

Pero, cuando regresa hasta la entrada para cerrar con llave la cancela, lo que encuentra frente a él es la pistola silenciosa de Ramiro.

La luz del vestíbulo sigue encendida y la puerta abierta. Cruje detrás de nosotros con suavidad aprendida.

—¿Poldo?

La metralleta de Gildo ahoga en su raíz el grito de la criada mientras Ramiro y yo corremos ya por el pasillo en busca de los dueños de la casa.

Nos reciben de pie, en el comedor, a ambos lados de la mesa que extiende bajo un gran globo de luz el orden blanco de las porcelanas y la llamarada del vino recién servido. Nos reciben de pie, como si estuvieran esperándonos para cenar.

Pero, al vernos en la puerta, la mujer coge a sus dos hijas y las aprieta instintivamente contra la falda.

—Llévatelas de aquí.

Las niñas me acompañan sin resistirse. Son demasiado pequeñas para entender lo que pasa. Las dejo en la cocina, al cuidado de Gildo, con el chófer y la criada.

Cuando regreso al comedor, Ramiro ordena al dueño de la mina, su antiguo patrón:

—Tiene dos minutos para prepararse.

—¿Prepararme? ¿Para qué?

—Va a venir con nosotros.

El hombre intenta todavía mantener el dominio de sí mismo.

—¿A dónde? —pregunta.

—Dos minutos —le repite Ramiro secamente—. Ya ha pasado uno.

La mujer se abraza a su marido.

—¿Qué van a hacerle? —grita—. ¡No vayas, José! ¡No vayas! ¡Van a matarte!

El dueño de la mina se ha quedado mirando a Ramiro fijamente. Como si le hubiera reconocido. Pero, en seguida, reacciona: se deshace, decidido, del abrazo de su mujer y se dirige hacia el perchero para coger su chaqueta.

Ramiro se adelanta a registrarla.

—Escúcheme bien, señora —le dice a la mujer volviendo hacia la puerta—. Escúcheme bien y haga lo que le digo si quiere volver a ver vivo a su marido. Tiene de plazo hasta el viernes para reunir doscientas mil pesetas. En billetes pequeños. El sábado, a las seis en punto de la mañana, salga en el coche con el dinero en dirección a Tejeda. El chófer y usted solos. ¿Me ha entendido? Nosotros estaremos esperándoles en algún punto de la carretera.

La mujer asiente mecánicamente con la cabeza sin dejar de mirar a su marido.

—Haz lo que te han dicho, Elena —le dice éste besándola fríamente en la mejilla—. Y no tengas miedo. Si alguien pregunta por mí, estoy de viaje, en Madrid. Todo saldrá bien, ya verás.

La mujer nos ve marchar en silencio, impotente, desmayada sobre la mesa como una muñeca de trapo.

Cuando despierto, el sol ha caído ya detrás de los hayedos. Se desliza con suavidad sobre la hierba levantando una cortina de bruma verde frente a mis ojos.

Cerca de mí, Ramiro duerme tumbado sobre una manta. Y, más allá, Gildo vigila, apoyado contra el tronco de un haya, al dueño de la mina y los caminos que suben al monte.

—¿Qué hora es ya?

—Las ocho.

Es don José quien me ha contestado. Está sentado en el centro, con las manos atadas a la espalda y la mirada perdida en el horizonte.

—Ramiro te relevará a las doce —me dice Gildo extendiendo su manta sobre la hierba para dormir un rato.

—¿Queda algo de comida?

—Queso y tasajo. Ahí, en mi mochila. Dale también a él.

El dueño de la mina ha abandonado su habitual indiferencia ante el relevo de la guardia. Parece evidente que prefiere mi compañía a la de Gildo.

A lo lejos, hacia el puerto de Amarza, empieza a anochecer. Las montañas se difuminan como nubes de humo en el horizonte y una explosión de pájaros azules atraviesa en desbandada la umbría de los hayedos.

—Impresionante, ¿verdad?

Lo ha dicho sin mirarme, deseoso de entablar conversación conmigo, pero sin atreverse a hacerlo abiertamente. El dueño de la mina no olvida —mi metralleta se ha encargado, además, de recordárselo— la diferencia insalvable que nos separa.

—Yo estoy ya acostumbrado —le digo.

Y él se queda otra vez en silencio, con la mirada perdida en el horizonte, temeroso de haberme ofendido.

Lío un cigarro para cada uno. Le desato las manos para que pueda fumar y él me lo agradece con una mirada. De todos modos, con la noche cayendo y sin saber dónde estamos, aunque pudiera escaparse, no llegaría muy lejos. Y él lo sabe.

Así que enciende su cigarro y se queda mirando la columna de humo que se enreda, moroso, en la bruma del bosque.

—Siempre, desde niño —le digo—, yo he sentido también la atracción de las montañas. El fuego, el viento, los ríos, están vivos, están siempre en movimiento. Las montañas, en cambio, siempre iguales, siempre quietas y en silencio, parecen animales muertos.

El dueño de la mina me mira sorprendido. Seguramente no esperaba una explicación así de alguien que, para él, es sólo un hombre brutal, escondido como una alimaña en las mismas montañas de las que habla.

—Tú eres el maestro de La Friera, ¿verdad?

Le miro sin responder y el hombre desvía sus ojos al suelo con la sensación de haber dicho otra vez algo inoportuno.

—Se habla mucho de ti por ahí —me dice como disculpa.

—Supongo que no muy bien.

El dueño de la mina mide bien esta vez su respuesta:

—Tú lo sabes igual que yo. Para unos, sois unos simples ladrones y asesinos. Y, para otros, aunque no lo digan, sois unos pobres desgraciados que lo único que hacéis es tratar de salvar la vida.

—¿Y para usted?

No esperaba una pregunta tan directa. Don José se revuelve, incómodo, sobre la hierba y apura su cigarro antes de contestar:

—No se puede matar a nadie.

Y me mira un instante buscando mi reacción.

—¿Incluidos nosotros?

—Claro. A nadie.

—Pues eso no es lo que usted ha dicho públicamente otras veces.

Pese a la oscuridad creciente del hayedo, puedo advertir el brillo acorralado de sus ojos, el temblor mortecino que, de pronto, ha asomado a sus labios. Es la primera vez que pierde el control de sí mismo desde que estamos en el monte.

Le ato otra vez las manos a la espalda y me siento detrás de él, apoyado contra un haya, a esperar la medianoche.

—Coja usted un animal doméstico, el perro más noble y más bueno —le digo después de un rato—. Enciérrelo en una habitación y azúcelo. Verá cómo se revuelve y muerde. Verá cómo mata si puede.

El dueño de la mina no responde. No puede responder. Inmóvil sobre la hierba, parece un tronco más entre los troncos del hayedo.

Santiago vive en Quintana, una pequeña aldea escondida entre chopos a los pies de Peña Malera. Santiago —antiguo compañero de trabajo de Ramiro y uno de nuestros más fieles enlaces desde que estamos en el monte—, a sus cuarenta años, sólo ha logrado reunir en torno suyo una pareja de vacas de tiro, un exiguo rebaño de cabras y media docena de hijos que apenas sirven aún para ayudar a su madre a cuidar de los animales y cultivar el huerto.

Así que, todos los días, con las estrellas colgadas todavía del cielo de Quintana, Santiago coge su bicicleta y, llueva o nieve, recorre los quince kilómetros largos que le separan de Ferreras para enterrarse en la mina de don José.

Y ya no vuelve a casa hasta la noche.

Hoy, sin embargo, de regreso a Quintana, a la mitad del camino que sube de Vegavieja, Santiago ha escuchado el grito del búho en el robledal.

Inmediatamente se detiene. Escruta durante unos

instantes las sombras de la noche a su alrededor y, luego, apaga y enciende el faro de la bicicleta tres veces.

Lo apaga finalmente al verme aparecer al borde del camino.

—Santiago.

—Hola, Ángel.

—¿Cómo subes tan tarde hoy?

—Me entretuve en la farmacia de Vegavieja. Unos recados para Consuelo, ya sabes.

Consuelo es su mujer. Una mujer enferma y oscura. Una mujer, como todas las mujeres de esta tierra, envejecida antes de tiempo.

—¿Viste algo?

—No, nada extraño. Al menos en la mina.

—¿Y en el cuartel?

—Lo mismo. Creo que la mujer de don José no ha dado parte.

Santiago mira incesantemente a un lado y a otro vigilando el camino. Sus ojos cansados, endurecidos por la mina, podrían descubrir a distancia una sombra acechando escondida entre las sombras inmóviles de la noche.

—Es mañana, ¿verdad? —me pregunta.

—A las seis. Quizá te cruces con el coche cuando bajes.

—Que tengáis mucha suerte, Ángel.

El faro de la bicicleta alumbra ya el camino nuevamente.

—Santiago...

Él se vuelve para mirarme.

—Es posible que no volvamos a vernos. Por lo menos en mucho tiempo.

Las palabras se agolpan en mi corazón como piedras pesadas. Se resisten a subrayar este adiós que —los dos lo sabemos— puede ser el definitivo.

—Quiero darte las gracias por todo lo que...

Pero Santiago me estrecha la mano, en silencio, y se aleja empujando la bicicleta por el camino.

El dueño de la mina, muy nervioso, consulta otra vez su reloj y mira con ansiedad la cinta negra de la carretera.

—Ya es la hora —me dice—. Ya tenían que estar aquí.

Y me enseña el reloj de cadena de oro cuyas manecillas señalan las seis y media de la mañana.

—¿Usted confía en su mujer?

—Completamente.

—¿Y en su silencio?

El hombre duda un momento antes de responder:

—También.

—Pues, entonces, tranquilo.

Sobre los montes de Vegavieja es noche cerrada todavía. Nubes de estrellas cuelgan sobre el río que corre a nuestros pies con un gemido hondo. Y hace frío. Mucho más del que puede soportarse en una espera tensa y larga como ésta.

—Ya sabéis —repite una vez más Ramiro—. Tú, Gildo, esperas en la carretera y detienes el coche. Ángel te cubrirá desde la casilla. Hay que hacer esto con la mayor rapidez posible.

Mientras hablaba, las luces de un automóvil han aparecido a lo lejos, sobre la línea del horizonte, desgarrando la niebla del río.

—Túmbese.

El dueño de la mina se apresura a obedecer. Ramiro desenfunda su pistola y se agacha a su lado, entre las urces.

—Suerte —nos desea mientras Gildo y yo comenzamos a descender hacia la carretera.

Gildo hace un gesto con la mano para que se detenga.

El coche frena bruscamente y se arrima a un lado de la calzada, justo enfrente de la casilla abandonada de camineros en que yo me he parapetado.

—¡Apague las luces!

Dentro, obedecen y la lechosa oscuridad del alba se extiende otra vez sobre la carretera.

Ahora, una puerta se abre y del asiento trasero desciende la mujer de don José con un bolso en la mano.

En el interior del coche queda sólo la silueta difusa del chófer sentado al volante.

Gildo comienza a acercarse sin dejar de apuntar a la mujer con su metralleta.

—¡Tire el bolso! —le ordena—. ¡Tírelo y quédese junto a la cuneta!

Van a ser las últimas palabras de su vida. Porque, justo en ese momento, la mujer se arroja al suelo y comienza a disparar por sorpresa sobre él. Casi al unísono, el rugido inesperado de varias metralletas la secunda desde el coche.

He tardado mucho tiempo en reaccionar. Aplastado tras el hueco de la puerta, en el fondo de la casilla, siento rugir en mi garganta las balas que buscan casi a ciegas la silueta del coche, el bulto de la mujer, sobre la carretera, la oscuridad del alba, la muerte. Como si fuera la metralleta, y no yo, quien primero hubiera conseguido sobreponerse a la sorpresa.

De pronto, me doy cuenta de que nadie responde. De que estoy solo, en medio de la noche, rematando interminablemente a varios muertos.

—¡Gildo!

El silencio estalla en mis oídos como un último disparo.

El coche está inclinado torpemente sobre una rueda reventada. Y, cerca de él, los cuerpos de Gildo y de la mujer de don José yacen desmadejados sobre la carretera.

—¡Gildo!

Me he abalanzado hacia él sin preocuparme siquiera de registrar el coche por si alguien pudiera todavía dispararme.

Gildo está en medio de un gran charco de sangre, cara al cielo, con el cuerpo cosido a balazos y los ojos llenos de estrellas.

—¿Qué ha pasado, Ángel? ¿Qué ha pasado?

Ramiro corre ladera abajo encañonando al dueño de la mina.

No he necesitado explicarle. Se ha quedado en mitad de la carretera, inmóvil, anonadado, con los ojos clavados en el cuerpo de Gildo. Con los ojos vacíos.

—Él no quería marchar —dice en voz muy baja, como para sí mismo.

De pronto, casi al tiempo, una misma sospecha nos asalta. Ramiro se acerca al bulto desmadejado de la mujer y le da la vuelta con el pie. Un pañuelo y una peluca quedan desparramados sobre la carretera. Pese al negro agujero que ahora ocupa su ojo izquierdo, los dos podemos reconocer fácilmente el rostro inconfundible del capitán de Ferreras.

Aterrado, el dueño de la mina ha comenzado a retroceder hacia el coche donde se agolpan los cuerpos inertes de más guardias civiles.

Pero el disparo de Ramiro atraviesa su corazón y le aplasta contra la puerta.

Tercera parte

1943

Capítulo IX

La puerta se abre con suavidad y la silueta silenciosa y enlutada de la madre de Ramiro se recorta en el umbral iluminado por la luna.

Se queda ahí un instante, atenta a cualquier ruido, intentando descifrar inútilmente con los ojos la penumbra cuajada de la hornera.

—Madre. Estamos aquí.

Ella cierra la puerta y, a tientas, guiándose tan sólo por la memoria y el instinto, se abre paso torpemente hasta nosotros entre las arcas y los sacos y el perfil patibulario de las cestas colgadas de las vigas.

—¿Estáis bien?

—Sí, madre. Estamos bien. ¿Y usted?

—¿Por qué tardasteis tanto?

—No pudimos venir antes. Los guardias estaban en la calleja.

Ella nos mira desde el fondo de unos ojos encendidos por la espera como queriendo constatar una vez más el milagro de que aún estemos vivos. De que no somos fantasmas que surgimos de tarde en tarde entre las sombras de la hornera para seguir alimentando su esperanza.

—Estaba muy preocupada.

—¿Por qué?

—Hace un mes que no sabía nada de vosotros.

En el silencio de la cocina de horno, las palabras de Ramiro y de su madre llegan hasta mi oído como roídas por la noche y por el humo. Como si hubieran sido pronunciadas años antes en algún lugar lejano del que se hubiera retirado para siempre el sol. Y no en este cuarto olvidado y oscuro, adosado a las cuadras, al final del corral, que conserva en los viejos arcones la memoria sagrada del pan y el recuerdo imborrable de todos los hombres que habitaron la casa.

—¿Tenéis hambre?

—No.

—Tu hermana me trajo ayer esta caja de tabaco —me dice.

—¿Cómo están?

—Bien. Preocupados, como yo.

—Dígales que hemos estado aquí.

Mientras hablamos, la madre de Ramiro ha metido en mi mochila la caja de tabaco, una hogaza y un poco de matanza. Luego, busca entre la pila de urces secas, junto al horno.

—Las botas —dice, trayendo un pequeño envoltorio—. Están aquí ya desde el domingo.

Ramiro palpa las botas con su mano. Las acaricia casi antes de sentarse en un arcón para ponérselas.

—Son buenas —dice—. Nos durarán por lo menos un par de inviernos.

Su madre se arrodilla ante él para ayudarle a atárselas. Seguramente está pensando lo mismo que nosotros: que estas botas de cuero rojo y bruñido, claveteadas y escondidas al amparo de la noche, pueden ser las últimas que tenga que encargar para nosotros al viejo zapatero de La Llánava. Pero no dice nada. Se limita a mirarnos desde el silencio distante e inexpresivo de la mujer acostumbrada a esperar despierta cada noche, en la terrible soledad del caserón vacío, la llegada furtiva de su hijo.

Y a contemplar su marcha, siempre apresurada, cuando ni siquiera ha tenido tiempo suficiente todavía para verle.

—Esperad un poco. Cenad algo antes de iros.

Son las palabras de siempre. El mismo gesto inútil, repetido.

—Madre. Sabe que no me gustar estar aquí más que lo imprescindible —le dice, una vez más, Ramiro—. Los guardias pueden aparecer en cualquier momento y, sobre todo, no quiero que usted corra ningún peligro.

Ella le mira, desolada.

—¿Cuándo vais a volver?

—No sé, madre. No sé. Cualquier día.

Antes de marchar, tiro mis viejas botas por la boca del horno, entre las cenizas. Estaban ya deshechas por completo, con las suelas abiertas y podridas.

Eran las que Gildo llevaba puestas cuando murió.

—¿Por qué no se lo dijiste?

Ramiro, tumbado a mi lado, sobre la hierba, me mira con extrañeza.

—A tu madre —le digo.

Él duda un momento antes de contestarme:

—¿Para qué? Es mejor que nunca se entere. Así seguirá esperándole siempre.

Y se queda de nuevo en silencio, escuchando el latido sereno, monótono, hondo, del corazón de la noche.

Los dos llevamos así casi una hora, escondidos en el huerto de la casa del cura. Don Manuel está en la cantina, como todas las noches, escuchando la radio o jugando a las cartas.

Por fin, hacia la medianoche, nos alerta el ladrido de un perro, al fondo de la calleja.

Ramiro y yo nos apretamos contra la hierba y escuchamos con todos los sentidos en tensión. La brisa se ha detenido entre los árboles del huerto y, al otro lado de la tapia, podemos oír ya los pasos que se acercan por la calle y las voces que se despiden rutinarias, hasta mañana, una noche más.

Don Manuel ignora todavía que ésta no va a ser para él una noche cualquiera. Don Manuel, el cura de La Llánava, ignora todavía que, en el crujido del portón, al entornarse, y en el destello de la luna sobre el tejado de la casa, anida el latido mudo de la venganza.

Nos ha llevado en silencio hasta su despacho: una habitación presidida por un crucifijo, con una mesa en el fondo y varios libros desordenados en el armario de la pared.

Nos invita a sentarnos con una mirada.

—Siéntese. Siéntese usted —le ordena Ramiro.

Don Manuel atraviesa el despacho y ocupa su silla, detrás de la mesa. Se recoge con un gesto las mangas de la sotana y entrelaza las manos sin dejar de mirarnos. A la luz mortecina de la bombilla, observo su figura envejecida. Don Manuel tiene el pelo completamente gris, como quemado. Y un ácido temblor, quizá aumentado ahora por el miedo, agita sus manos blancas. Nada recuerda ya su antigua fortaleza, la energía inagotable con que llevó durante años las riendas de la vida religiosa, y aun privada, de La Llánava. Ni, por supuesto, la inusual y febril actividad que desplegara en la denuncia de los vecinos sospechosos cuando la guerra llamó con ansiedad a la puerta de todas las casas.

Ha pasado mucho tiempo desde entonces. Mucho tiempo para todos.

—¿Por qué tiembla, don Manuel? —Ramiro le dirige una sonrisa dura y helada—. Usted no nos tendrá miedo, ¿verdad?

—Por supuesto —responde él con voz firme.

Y, luego, tras un corto silencio, mirándome a mí:

—Estoy esperando simplemente a saber a qué debo el placer de vuestra visita.

—Hacía mucho tiempo que no nos veíamos, don Manuel —le digo—. Desde antes de la guerra.

He recalcado las últimas palabras, pero él no parece haberlo percibido. Recuperado ya de la inicial sorpresa, se recuesta en el respaldo de la silla con gesto distendido. Aunque la rigidez de sus músculos, contraídos en la cara y en el cuello, continúa denotando su nerviosismo.

—¿Necesito deciros que, para mí, vuestra presencia no es muy agradable?

—No —responde Ramiro—. Lo imaginábamos.

—¿Entonces?

—Hemos venido a matarle.

El temblor de las manos de don Manuel se detiene

bruscamente. Y una palidez intensa, como de nieve, se apodera de su rostro.

Mi metralleta, fija en sus ojos, le obliga a desistir de su primer impulso: levantarse.

—Pero, antes, va a contarnos todo lo que sabe.

—Lo que sé, ¿de qué?

—Todo —repite Ramiro—. Todo lo que usted sabe.

Don Manuel busca mi ayuda con los ojos. Unos ojos desencajados, atravesados por el pánico.

Ramiro se sienta frente a él.

—Yo le voy a ayudar —dice—. Puede empezar hablando de mi hermano.

—¿Tu hermano? —balbucea la voz temblorosa del cura.

—Sí. Mi hermano. Se acuerda de él, ¿verdad?

—Claro, claro. ¿Cómo no voy a acordarme? Juan, el que murió en la guerra.

—En la guerra no —le interrumpe con brusquedad Ramiro—. Mi hermano murió aquí, en La Llánava. Y usted lo sabe.

—¿Yo?

Ramiro le sostiene con los ojos la pregunta.

—Yo no sé nada de tu hermano ni de nadie —dice el cura.

—No mienta, don Manuel. Nosotros somos como Dios: lo vemos todo desde ahí arriba.

Pero don Manuel no responde. Ha clavado su mirada en la mesa para evitar nuestros ojos desafiantes. Seguramente está pensando en cómo hemos logrado enterarnos de algo mantenido en secreto durante tantos años.

—Le voy a refrescar la memoria —Ramiro juega con su pistola aparentemente distraído, pero en su voz alienta ya el poso incontrolado de la ira—. ¿Recuerda usted una noche, hace ahora seis años, en que un hombre llamó a su puerta pidiendo ayuda?

—Muchas veces viene gente a mi casa pidiendo ayuda —se defiende con torpeza el cura—. No olvides que soy sacerdote.

Y, bajo la sombra negra del crucifijo, su afirmación suena extraña e irreal, casi como un insulto.

—Usted sabe perfectamente de qué noche estoy hablándole.

—No lo sé.

—Se lo voy a decir yo.

Don Manuel mira a Ramiro con ojos desorbitados. Un sudor frío y pegajoso atraviesa su rostro cuando éste le dice:

—Aquel hombre estaba herido. Aquel hombre era mi hermano y le pidió que le escondiera aquí, en su casa.

—Yo no podía hacer eso, Ramiro —contesta el cura, definitivamente acorralado—. Yo no podía esconderle. Me comprometía a mí.

—Y le entregó a sus perseguidores para que le remataran.

El cura ya no puede seguir defendiéndose, ni siquiera hablando. Sus manos, aferradas al borde de la mesa, parecen sarmientos blancos. Y sus labios helados tiemblan en una oración como hojas de sangre.

—¡Levántese! ¡Levántese y deje de rezar, que no le va a servir de nada!

Por las calles de La Llánava, sólo los perros y la luna están despiertos. Los perros nos despiden con sus ladridos a las afueras del pueblo. Pero la luna continúa con nosotros dispuesta a no abandonarnos en toda la noche.

Don Manuel camina en silencio, con la mirada en el suelo y las manos hundidas en la sotana, como un fantasma extraño que se alejase hacia el río. Ramiro y yo, uno por cada lado del camino, le seguimos a corta distancia sin dejar de apuntarle con nuestras armas.

Ya junto al río, el cura tuerce por el sendero que sube entre chopos hasta la pontona vieja. Una, dos revueltas más bordeando los últimos prados, sobre la orilla misma, y a nuestro encuentro sale la campa de Remolina.

—¿Aquí?

Don Manuel asiente con la cabeza.

Contemplo la pradera negra y húmeda, brotada de berros. Los chopos proyectan sus sombras solemnes sobre ella. El río baja a su lado con un profundo bramido.

El equilibrio de la noche es tan perfecto que nada podría hacer pensar que Juan esté enterrado ahí, bajo la hierba. Bajo esta misma hierba que Ramiro y yo hemos pisado tantas veces, tantas noches, bajando hacia La Llánava.

Don Manuel permanece en silencio junto a nosotros.

—Arrodíllese —le dice Ramiro.

Ha arrancado, en un gesto inesperado, una rama de espino y la ha clavado en el suelo como si fuera una cruz.

Don Manuel se resiste a obedecer. Teme seguramente que en esa postura, de rodillas, indefenso, cumplamos nuestra amenaza y le demos el tiro de gracia.

—¡Arrodíllese! —grita Ramiro—. ¡Arrodíllese y rece, hijo de puta! ¡Ahí hay un hombre enterrado, no un perro!

La brisa azota con suavidad las espadañas y las ramas de los chopos. Ahoga un instante el bramido del río. En el centro de la campa, una luna lejana y fría ilumina la figura del cura, arrodillado frente a la rama de espino, y la pistola que le apunta fijamente a la cabeza.

Me he despertado al amanecer. Me han despertado unos ladridos lejanos y la voz de Ramiro, en la oscuridad:

—¿Has oído?

Los dos nos quedamos callados, inmóviles, conteniendo la respiración.

Los ladridos se oyen lejos, por la collada. Pero aún está amaneciendo y, a esta hora, el rebaño debe de estar esperando todavía la campana para salir de La Llánava.

—¡Son ellos! —grita Ramiro saltando de entre las mantas.

Desde la entrada de la cueva, podemos verles: los guardias suben por la ladera del monte, desplegados, cerca ya de la collada. Son al menos veinte o treinta y traen varios perros con ellos. A la luz lechosa del alba, sus capas flotan, verdes e inconfundibles, sobre las matas.

Me arrastro fuera de la cueva y, muy despacio, procurando no hacer ningún ruido, doblo contra la boca las ramas del piorno más cercano. Ramiro las sujeta desde dentro y las ata como puede con una cuerda.

—¿Se ve algo?

—No. Vale así. Vale así.

Me arrastro otra vez, bajo el piorno, al interior de la cueva. Los guardias están ya en la collada.

Ato el otro extremo de la cuerda a una punta clavada en la pared del pasadizo. Suelto y el piorno se cimbrea suavemente durante unos segundos antes de quedar inmóvil por completo. Nadie podría ahora, desde fuera, descubrir la boca de la cueva ni imaginar siquiera que existe.

—Tenía que haberle matado —dice Ramiro mientras rocía el piorno con aguardiente para ahuyentar a los perros—. Tenía que haberle matado y tirado al río.

Cojo mi metralleta y la de Gildo y me tumbo boca abajo junto a él.

Durante toda la mañana, han rastreado el monte en todos los sentidos. Han subido hasta lo alto de la peña y han quemado los brezales de La Roza por si pudiéramos estar allí escondidos.

En varias ocasiones, pasaron casi junto a nosotros.

A mediodía, cansados y aburridos, los guardias se reagrupan en la collada y comienzan a bajar hacia La Llánava.

Las ventanas del pueblo están cerradas y ni siquiera los perros deambulan por las calles. Dos camionetas oscuras esperan a los guardias aparcadas en la plaza. Y, dentro de las casas, acurrucados en las cocinas, los vecinos estarán ahora aguardando esos golpes violentos que, dentro de poco tiempo, llamarán a sus puertas para que abran.

Son ya seis años los que llevan así, viviendo en silencio, aterrados, en la indecisión de la pena que les mueve a ayudarnos y el miedo, mayor cada vez, a las represalias.

Capítulo X

El hombre viene subiendo por el medio del camino, silbando entre dientes una canción y tirando sin demasiadas ganas de la caballería. Trae un viejo tabardo de piel vuelta, descolorido ya por los años y la lluvia, y un sombrero hongo de fieltro hundido hasta los ojos.

Quizá por eso no nos ve hasta que está ya prácticamente encima de nosotros.

Aún no son las ocho todavía de un día que ha amanecido hinchado de negros nubarrones, amenazando lluvia, y, aquí arriba, en el puerto de Amarza, la humedad y la luz se funden formando una misma sustancia, una niebla pegajosa y fría que empapa mansamente la tierra y el espacio.

Cuando nos ve, parados en medio del camino, al final de una revuelta, el hombre tira del ronzal a la caballería y se detiene. De reojo, bajo el ala del sombrero, mientras Ramiro y yo nos acercamos, observa los hayedos más cercanos buscando otras personas.

Recibe con recelo mi saludo. Pero sus ojos, hundidos bajo el sombero, no dejan traslucir la menor sombra de miedo.

—Estábamos esperándole —le digo.

El hombre no responde. Se limita a mirarnos, inmóvil junto al caballo. Sabe ya quiénes somos —el brazo mutilado de Ramiro es una seña de identidad inconfundible—, pero, en los últimos tiempos, hay partidas de guardias y mercenarios que recorren los montes vestidos y armados como nosotros con el fin de sorprendernos o de sembrar, al menos, la confusión y el miedo en los enlaces, y él sin duda quiere asegurarse.

Me acerco al caballo y aparto hacia atrás la manta que cubre los dos sacos sujetos a la montura.

—¿Qué lleva?

—Harina —responde él escuetamente.

—¿De dónde?

—De Vegavieja.

Desato uno de los sacos y hundo la mano en su interior. Al retirarla, la harina la ha dejado completamente blanca.

Ramiro asiente con un gesto. También nosotros queríamos estar seguros.

—*El Francés* quiere vernos —le digo por fin.

Era la contraseña que esperaba.

El hombre levanta levemente el ala del sombrero para mirarnos otra vez de arriba abajo. Luego, observa los nubarrones que doblan ya su peso sobre las verdes agujas de las hayas y tira del caballo fuera del camino.

Toda la marcha la hemos hecho en silencio, siguiendo al hombre a distancia. Aunque en sentido inverso, es el mismo camino que hace años recorrimos, con Gildo y el hermano de Ramiro, huyendo de una guerra que también nos esperaba al otro lado. Y, al pasar frente a las tapias arruinadas del corral donde entonces encontramos un perro abandonado, he vuelto a recordar aquella noche y la he hallado tan nítida en mi memoria, tan cercana, que todas las demás, incluso la pasada, me han parecido una misma e interminable noche de niebla y perros ahorcados.

Hacia las diez, divisamos un caserío perdido entre los hayedos. Es el primer signo de vida que encontramos desde que doblamos la cumbre del puerto y comenzamos a adentrarnos en tierras asturianas.

—Vosotros quedaos aquí —el hombre se ha detenido para esperarnos—. Yo bajaré primero a ver si todo está en orden. Si me asomo a la ventana es que podéis bajar.

Hace rato que las nubes reventaron y, ahora, una lluvia melancólica y mansa golpea suavemente las hojas de las hayas y la grama salpicada de arándanos silvestres en cuyos frutos rojos tiemblan las transparencias frías y efímeras del agua.

Resguardados de la lluvia bajo un haya, Ramiro y yo

vemos al hombre atravesar el prado, amarrar al caballo bajo el cobertizo y entrar en la casa.

Por fortuna, no tarda en asomarse a la ventana.

Durante todo el día, Ramiro y yo permanecemos escondidos en la cuadra, tirados sobre un montón de paja, con la única compañía del caballo.

El dueño del caserío y su mujer —a quien, por el momento, sólo hemos podido ver a través del pequeño ventanuco— van y vienen de un lado para otro atendiendo a las labores de la casa. De vez en cuando, al pasar frente al cobertizo, lanzan una rápida mirada hacia la cuadra.

Según nuestros informes —Marcial, el molinero de Vegavieja, es quien nos ha servido de enlace—, el matrimonio vive solo, sin hijos, aquí arriba, del trabajo del caserío y del transporte de mercancías y viajeros que el marido realiza de un lado a otro del puerto. Conoce estas montañas como la palma de su mano, y por eso —y por el odio que en su alma acumularan los dos años pasados en la cárcel, tras la guerra— es el enlace más fiel y valioso con que cuentan los huidos de la comarca.

—Por aquí, cada vez van resistiendo menos. Cinco o seis hombres desperdigados por los montes de Amarza y dos partidas en la zona de Beres, hacia Cabañada: la de Acevedo y la del *Cariñoso*. Supongo que habréis oído hablar de ellos.

El hombre cena sentado frente a nosotros, en la semipenumbra de la cocina iluminada solamente por el lejano resplandor del llar. Es la única luz con que cuenta el caserío, perdido en las montañas y batido ahora por la lluvia de una noche cerrada y sin estrellas.

—Acevedo ha cruzado el puerto un par de veces para operar al otro lado —le digo—. Él fue, según nuestras noticias, el que voló la línea eléctrica de Valselada. Aunque, por allí, claro está, nos culpan a nosotros.

El hombre hace un gesto de indiferencia.

—Los demás —continúa— los han ido matando poco a poco o se han ido entregando.

—¿Y él? ¿Con quién está?

—*¿El Francés?*

—Sí.

—Solo. Escondido. Pero quiere enlazar con todas las partidas de la zona. Estuvo un par de años con *el Cariñoso* antes de pasar a Francia. Y, ahora, ha regresado trayendo consignas y armas.

Ramiro, que ha permanecido en silencio todo el tiempo, escuchando, aparta su plato hacia un lado y se recuesta en el respaldo del escaño.

—¿Qué clase de consignas? —pregunta.

—Atacar. Uniros todos y atacar al mismo tiempo. En Francia creen que Franco tiene ya los días contados. Que Hitler está a punto de caer y, en cuanto acaben con él, los aliados invadirán también Portugal y España.

Ramiro le dedica una escéptica sonrisa.

—Esa música la venimos oyendo desde hace años. Esa música es la que siempre nos han tocado los partidos desde fuera para que sigamos aguantando aquí los cuatro desgraciados que no pudimos escapar a tiempo. Y, encima, ahora, quieren que ataquemos —Ramiro ha ido elevando la voz, enardecido, a medida que habla—. ¿Sabe usted lo único que me interesa a mí de los partidos?: las armas. Si quieren atacar, que vengan ellos aquí. Que vengan los políticos a las montañas.

El dueño del caserío se encoge de hombros.

—Mi trabajo se reduce a poneros en contacto —responde—. Allá vosotros os entendáis con *el Francés.*

La mujer, a su lado, permanece en silencio, ajena a nuestra charla. Es joven todavía, mucho más que su marido, pero hay en su rostro un gesto envejecido, como un poso de melancolía o de cansancio.

Y se turba cuando sus ojos atraviesan fugazmente el espacio de la mesa y se encuentran de repente, sorprendidos, con los míos.

Cuando acabamos de cenar, el hombre se pone su tabardo, coge una linterna y un paraguas y se dirige a la cuadra a buscar al caballo.

Desde la ventana entornada, le veo montar a su grupa, abandonar el cobertizo y perderse en la noche, monte arriba, bajo la lluvia.

—En dos horas estaré de vuelta —ha dicho antes de salir.

Ramiro, como siempre, no termina de fiarse. Y, tras apurar su cigarro, coge una manta y se marcha a vigilar al cobertizo. Así que, ahora, en la cocina, hemos quedado solos la mujer y yo.

Ella, como si yo también me hubiera ido, recoge y limpia la mesa en silencio, sin mirarme. Luego, trae de la despensa un caldero de leche y se sienta a batirla junto al llar mientras espera el regreso del marido. Es algo que, sin duda, ha repetido muchas veces en su vida. Y muchas también las noches que debe de haber pasado completamente sola en este solitario caserío.

Al contraluz mágico de la lumbre, amparado en la penumbra que me oculta de su vista, puedo contemplar sus ojos melancólicos, inmensamente azules, sus labios doloridos. Y adivinar también, bajo la sombra negra del vestido, el temblor de unos pechos tan cercanos e indefensos como ella, la cálida caricia de unas piernas abiertas a ambos lados del caldero cuya leche bate ahora con lentos movimientos circulares que le obligan a mover al mismo tiempo todo el cuerpo.

Ella ha debido de adivinar ya mis pensamientos. Pero no dice nada. Continúa su trabajo ajena por completo a mi presencia, aunque instintivamente recoge entre las rodillas los pliegues arrugados de la falda.

Sólo después de un largo rato, con la lumbre deshaciéndose en escarcha y la leche comenzando a cuajarse en el caldero, vuelve sus ojos para mirarme.

—Hace mucho tiempo que no estás con una mujer, ¿verdad?

Lo ha dicho con voz neutra, inexpresiva, buscándome entre las sombras de la cocina con la mirada. Y sus palabras, las primeras que pronuncia en todo el día, quedan flotando entre los dos como si siempre hubieran estado ahí.

Me había adormecido. El sopor de la cena y el calor

del fuego me habían adormecido. Y, aunque la pregunta y la mirada de la mujer me han sobresaltado, me quedo en silencio, hundido en el escaño, sin saber qué responderle y sin hallar el valor suficiente para sostener su mirada.

Ella aparta el caldero hacia un lado.

—Ven —me dice, levantándose y dirigiéndose hacia la puerta.

Cuando entro en la habitación, ella me espera ya sentada al borde de la cama.

La mujer me recibe con un dulce gemido. Se encoge sobre sí misma, como si hubiera sido atravesada por un cuchillo, al primer contacto. Lentamente, sin hablarnos, desabrocho su vestido. Ella me deja hacer, sentada todavía, con las manos desmayadas a ambos lados de las piernas entreabiertas y los ojos clavados en los míos. De rodillas, le beso con rabia los hombros y los pechos, los labios encendidos como una flor de sangre, mientras mis manos buscan, avanzando torpemente bajo el misterio de la falda, la plenitud de fuego y leche de sus muslos.

No ha aguantado ya más. Se ha doblado de pronto, como una rama rota, sobre sí misma y me ha arrastrado hacia el suelo llenándome los ojos de luz negra. Es la noche total. El vértigo infinito. La bóveda del tiempo que comienza a caer sobre nosotros con un bramido sordo de ríos que se encuentran. De ríos que se encuentran y se funden. De ríos que se encuentran y se funden, y se funden.

Se ha quedado tendida un instante a mi lado, desnuda, temblando. Luego, se ha vestido en silencio y ha salido del cuarto dejándome solo.

Cuando regreso a la cocina, la mujer está otra vez sentada junto al fuego, peinada y con el pelo recogido, batiendo nuevamente la leche del caldero.

Ni siquiera levanta los ojos para mirarme cuando entro.

Hacia la medianoche, el ruido de los cascos de un caballo me despierta. Se acercan al caserío, a medio trote, chapoteando sobre los charcos.

Ramiro continúa en el cobertizo y la mujer, sentada todavía junto al fuego, me dirige una mirada fugaz e inexpresiva. Quizá también se había dormido esperando a su marido.

Sin moverme del escaño, monto la metralleta y la apunto hacia la puerta.

Poco después, ésta se abre bruscamente.

No es el hombre, sin embargo, el que aparece. Es Ramiro, empuñando nervioso la pistola.

—Viene solo —dice—. El caballo ha vuelto solo.

La mujer y yo nos hemos puesto en pie. Ella permanece un instante inmóvil junto al llar, anonadada, sin poder creer aún lo que Ramiro acaba de anunciarnos. Pero, en seguida, se abalanza gritando hacia la puerta:

—¡Le han matado, Dios mío! ¡Le han matado!

De un empujón, Ramiro la hace retroceder hasta el final de la cocina.

—¿Se ha vuelto loca?

Ella le mira, desolada, sin comprender.

—Si le han matado —le dice Ramiro—, ahora estarán ya rodeando el caserío. Así que salga fuera y verá cómo le vuelan la cabeza.

Por la rendija de la ventana, apenas puede verse el haz de lluvia negra que rasga el cobertizo.

—¿A dónde da esa puerta? —le pregunta Ramiro a la mujer señalando la que hay a nuestra espalda, al final de la cocina.

—A la cuadra. La usamos en invierno, cuando nieva.

—¿Está abierta?

La mujer busca la llave en la alacena.

—Escuche bien —le dice Ramiro—. Desnúdese y métase en la cama. No tenga miedo. A usted no le harán nada. Nosotros vamos a tratar de escapar del caserío.

La mujer se queda sola en la cocina sin saber qué hacer, sin saber si gritar o derrumbarse, sin saber si esconderse en el rincón más olvidado de la casa o salir corriendo en busca del marido.

La mujer se queda sola en la cocina como una estatua levantada al pánico.

Dentro de la cuadra, la oscuridad es absoluta. Las vacas rumian la placidez del primer sueño y sus respiraciones hondas llenan de vaho caliente la penumbra. Pero no podemos verlas. Sólo la turbia claridad del ventanuco nos permite adivinar el perfil de sus siluetas acostadas.

—Están ahí —dice Ramiro en voz muy baja.

—¿Cómo lo sabes?

—No lo sé. Pero les huelo.

Afuera, el silencio ha madurado como un fruto. Hasta la lluvia parece haber callado presagiando la tragedia. Barruntando la muerte.

—¿Qué piensas tú que habrá pasado?

—No sé —dice Ramiro—. Les habrán cogido cuando bajaban. Alguien debió de hablar más de la cuenta y sabían que esta noche nos reuníamos aquí.

—¿Y el caballo? ¿Por qué le han dejado irse?

—Se les escaparía...

Ramiro se ha quedado callado de repente. En medio de la oscuridad, sólo su respiración entrecortada me delata su presencia.

—¡El caballo! —exclama—. ¡Está ahí, en el cobertizo!

Por la oquedad del ventanuco podemos ver su sombra, escuchar su resuello acelerado por la carrera a través de las montañas.

—Cúbreme, Ángel. Voy a intentar cogerle. Puede ayudarnos a escapar de aquí.

Pero el crujido de la puerta asusta al animal y, antes de que Ramiro logre acercarse a él, abandona el cobertizo y se aleja trotando por el prado.

Se detiene finalmente lejos de nuestro alcance, en medio de la noche y de la lluvia.

—¿Qué hacemos, Ramiro? ¿Por qué no salimos?

—No podemos. Si están ahí, sería un suicidio. Sólo nos queda una opción.

—¿Cuál?
—Esperar.

La espera, sin embargo, no es muy larga.

Poco después de escaparse, el caballo comienza a acercarse otra vez al cobertizo y, tras él, empujándole con su presencia, dos sombras sigilosas aparecen. Ramiro tenía razón: estamos rodeados.

—Todo esto debe de estar infestado de civiles.

No sé si sus palabras buscaban por mi parte una respuesta. En cualquier caso, no la tengo. También yo sé que no hay escapatoria.

—¿Y si nos escondemos?

—¿Dónde? Nos buscarían debajo de la tierra.

Una voz. Muy cerca. Detrás del cobertizo.

—Ya están ahí.

Ramiro se agacha a mi lado, junto al ventanuco.

—Suelta las vacas —me dice.

—¿Las vacas?

—Sí, date prisa. Vamos a provocar una estampida.

A tientas, guiándome en la penumbra por el resuello adormecido de las vacas, me deslizo hasta la fila de pesebres y comienzo a soltarles los collares. Los animales se incorporan con pereza, pesados, sorprendidos, formando en medio de la cuadra un sordo remolino de pezuñas.

Me abro paso hasta Ramiro.

—¿Cuántas son?

—Seis. Creo que seis.

—Suficientes.

Ramiro escruta el exterior del ventanuco. Ha enfundado la pistola y en la mano tiene ahora las dos bombas de piña.

—Tiraré una a cada lado. Hay que aprovechar la confusión de la salida.

Busco a las vacas en la oscuridad y, con la metralleta y con las botas, comienzo a golpearles en las patas y en el vientre para que abandonen corriendo la cuadra en el momento en que se abra la puerta. Las vacas se revuelven dolidas, asustadas.

Ahí fuera, los guardias estarán preguntándose qué será lo que sucede dentro del establo. Muy pronto lo sabrán.

—¿Ya?

Es la voz de Ramiro, junto a la puerta.

—Ya —le contesto, conteniendo la respiración y agachándome entre las vacas.

No me ha dado tiempo a decir más. La puerta se abre por completo y la estampida me arrastra fuera de la cuadra. Casi al tiempo, un violento resplandor ilumina el cobertizo. El caballo surge frente a mí, alzándose de bruces, relinchando. Me aplasta contra una de las vacas. El suelo está empapado, frío. Y una pezuña viene a clavarse en el centro de mi espalda. Pero ya estoy de pie otra vez. Sin saber cómo. Y corro. Corro en medio de la noche, en medio de las ráfagas. Una vaca se derrumba a mi derecha, acribillada. Tropiezo con ella. Me revuelvo en el suelo. Me revuelvo disparando. Hacia la noche. Hacia el vacío que ahora rasga un segundo resplandor. Ramiro. ¿Dónde está? Las metralletas han callado. Hay que correr. Correr desesperadamente hacia la noche abierta entre las últimas vacas ya desperdigadas. Entre la lluvia y los aullidos de las balas. Entre esas hayas salvadoras que no pueden ya estar lejos. Que no pueden estar lejos y que, al fin, cierran sus negras copas a mi espalda.

La luz de la mañana me sorprende tumbado boca abajo entre unas zarzas, en medio del hayedo, con el corazón apretado contra el suelo para que no puedan oírse sus golpes rojos y desacompasados. No sé siquiera cuánto tiempo llevo así. Ni la distancia que ahora me separa del caserío y de las botas de los guardias.

Ni, por supuesto —y es lo que me sostiene emboscado como un animal ciego entre estas zarzas—, la suerte que Ramiro habrá corrido.

Deben de ser casi las doce. Lo sé porque ha dejado de llover y un débil sol, mojado y lejanísimo, se filtra entre las hayas derramando una luz verde y vertical sobre mi espalda.

No aguanto más aquí. Son ocho o nueve horas las que llevo tumbado en el zarzal, con la cara aplastada contra el suelo y sin poder cambiar prácticamente de postura. No puedo aguantar más. Voy a salir. En toda la mañana no he escuchado un solo ruido sospechoso en el hayedo y, además, aun en el caso de que los guardias hubieran rastreado mis huellas por el monte, a esta hora deben ya haberse dado por vencidos. O quizá no. Quiza cazaron a Ramiro y se han ido, satisfechos, renunciando a mi captura. No sé. Sólo sé que he de salir de aquí, abandonar este zarzal y buscar algún lugar seguro desde el que pueda ver el caserío y comprobar lo que ha ocurrido.

Lentamente, con la respiración contenida y todos los músculos en tensión para no hacer el menor ruido, comienzo a arrastrarme entre las zarzas. La hierba nueva está empapada y fría. Y el espino se agarra con rabia a mi ropa arañándome los brazos y la cara. Pero ya puedo ver, contemplar con claridad el paisaje exterior: los troncos de las hayas que descienden monte abajo como un fantasmagórico ejército de sombras. Sombras verdes, profundas, misteriosas, que pueden esconder en sus espacios otras sombras menos quietas, más nerviosas y acechantes. Durante largo rato, las escruto una por una atento a cualquier cambio, a cualquier brillo, al mínimo temblor de las gotas de agua que se escurren de las ramas. Todo parece estar tranquilo. Despacio, muy despacio, con la metralleta dispuesta a secundar mis órdenes, continúo arrastrándome sobre los codos y las piernas hasta salir por fin de entre las zarzas. Inmóvil y en silencio, vuelvo a observar las sombras brevemente para, después, deslizarme hasta el tronco más cercano y aplastarme contra él como si fuera musgo.

La luz es más intensa, más verde y vertical aquí.

Primero, enterraron las tres vacas en una enorme fosa abierta delante del cobertizo. Una de ellas todavía estaba viva. Sobre la hierba bramaba y se agitaba hasta que un guardia la remató de un tiro.

Las otras tres, y la mujer, se las llevaron atadas de la cola del caballo sobre el que habían cruzado los cuerpos de dos hombres reventados a balazos.

La manta que los cubría me impidió ver si alguno de los dos era Ramiro.

Ahora, anochece ya de nuevo en las montañas. Las sombras se deslizan espesas y profundas. Se funden entre ellas tejiendo una sustancia vegetal —de helechos y de lluvia— que comienza a apoderarse lentamente del hayedo.

Pronto cantará el búho.

Durante largas horas, febril e intermitente, el búho ha cantado sin cesar por todos los hayedos, por todos los senderos, por todas las colladas de la noche. Lo ha hecho casi sin fe —sin descanso, pero sin fe—, empujado solamente por la angustia y la desesperanza.

Y, durante largas horas también, por todos los hayedos, por todos los senderos, por todas las colladas de la noche, un silencio tenaz, compacto, ha encontrado por única respuesta.

Ha sido al amanecer, cerca de la majada derruida del puerto de Amarza, cuando otro búho invisible ha respondido al fin a su llamada.

Casi a continuación, la figura de Ramiro aparece entre las tapias.

—Sabía que, más tarde o más temprano, acabarías pasando por aquí.

Ha empezado a amanecer y una luz dulce y lechosa ilumina en su cara una sonrisa.

—Yo no estaba tan seguro de encontrarte. Vi cómo se llevaban en el caballo dos cadáveres.

—El dueño del caserío y *el Francés*. Imagino que sería *el Francés*. Pasaron cerca de mí.

Y, luego, sin dejar de sonreír:

—¿Sabes? Estuve a punto de confundirte.

—¿Con quién?

—Con el búho. Cantas ya tan bien como él.

—Sí, claro —le digo, recostándome, agotado, contra la tapia—. Y corro como el rebeco, y oigo como la liebre, y ataco con la astucia del lobo. Soy ya el mejor animal de todos estos montes.

Ramiro busca su caja de tabaco.

—Líame un cigarro —me dice—. Llevo sin poder fumar todo el día.

Capítulo XI

Ya es otoño, finales de un setiembre lento y grana que de nuevo devuelve a las montañas la milenaria soledad profunda que brevemente destruyó el verano.

Ya es otoño. Y, tras las últimas batidas de los guardias y el retorno hacia el sur de los rebaños trashumantes, todo vuelve a estar en orden y tranquilo en torno nuestro: las provisiones y la leña para el fuego acumuladas a lo largo del verano, la matanza puesta al humo al fondo de la cueva —y en algunas anónimas cocinas de Pontedo y de La Llánava—, los sonidos del valle y las montañas, la monótona rueda del sol y de la luna, los turnos de la ronda de los guardias y de nuestra interminable y aburrida vigilancia. Todo menos nosotros, cada vez más solos y desesperados, cada vez más temerosos de un invierno que se anuncia, como siempre, larguísimo y feroz y que, otra vez, volverá a convertir este húmedo agujero en un cubil infecto para bestias apestadas.

Ahí abajo, en el valle, mientras tanto, los campesinos han comenzado ya la poda de los chopos que habrá de proporcionar hoja tierna para la ceba del rebaño cuando el forraje de los huertos comience a escasear. Y, allí donde el río no ha extendido sus brazos todavía cubriendo la ribera de balsas y llamargos, un suave bamboleo vegetal denuncia en la distancia la presencia silbante del hocil.

Ése será, durante varios días, el único sonido que llegue desde el valle hasta nosotros: un silbido metálico y lejano que atraviesa las copas de los chopos estremeciéndoles de dolor y de frío. Un silbido que Ramiro y yo conocemos desde niños, cuando acompañábamos a nuestros padres hasta el soto brotado de amarillos y agua muerta para cargar en el carro las ramas desgajadas.

Por eso le tememos. Porque le conocemos y sabemos que, en él, está el primer gemido de la nieve. Y porque sabemos también que, aunque el temor del hombre llena de leña y hoja los corrales, la cólera del invierno es implacable.

Al atardecer, Ramiro y yo teníamos ya dispuestos y engrasados los cebos y las trampas: los lazos de alambre para las liebres y el cepo de acero duro y dientes afilados que nos dio hacc dos años *Matalobos*, el viejo alimañero de Tejeda, para truncar la carrera de algún corzo cuya carne, cortada en tiras y curada al humo, pueda servirnos para ahuyentar los últimos zarpazos del invierno.

Ahora, los rebaños de los pueblos no suben ya hasta el monte. Se quedan en las eras y en los barriales bajos buscando entre las mielgas el último rebrote del otoño. Así que no hay peligro de que el cepo atrape alguna oveja y descubra a los pastores nuestras huellas.

—Los corzos estarán todavía arriba, por los puertos —dice Ramiro comprobando con satisfacción el silbido del muelle y el violento castañeteo de los dientes al encontrarse—. Pero nunca se sabe.

El muelle estaba rígido por la humedad, casi oxidado. Tuve que rasparle pacientemente con un cuchillo para quitarle el moho rojo del desuso y, luego, untarle con sebo recalentado.

Los lazos para las liebres los esparcimos por la collada, entre las urces y el tomillo. El cepo lo escondimos en el piornal, bajo las hojas muertas, para poder escuchar desde la cueva su chasquido violento y acerado el día en que un inesperado visitante se quede para siempre aprisionado entre sus dientes.

—El lobo ya está en Peña Negra. Se pasó la noche entera aullando.

Ramiro ha traído una botella de aguardiente y los dos nos sentamos a la entrada de la cueva para ver, un día más, cómo anochece.

—No tardará en nevar.

Bebo un trago de la botella. El aguardiente tiene un sabor violento, a acero. Como el silbido del cepo o el horizonte de lobos sin luna que anuncia ya la llegada del invierno.

—¿Sabes? —Ramiro ha encendido un cigarro y se recuesta contra la arista fría de la peña—. Siendo yo un chaval, antes de entrar a la mina, estuve un par de meses con Ovidio, el de la sierra, cortando madera en el valle de Valdeón, allá —y señala en la distancia con la mano—, para la parte de Riaño. Allí cazan los lobos todavía como los hombres primitivos: acorralándoles. Tocan un cuerno cuando le ven y todos, hombres, mujeres y niños, acuden a participar en la batida. Yo lo vi una vez. Nadie puede llevar armas, sólo palos y latas. La estrategia consiste en acechar al lobo y empujarle poco a poco hasta un barranco en cuyo extremo está lo que llaman el chorco: una fosa profunda y oculta con ramas. Cuando el lobo, al fin, ha entrado en el barranco, los hombres comienzan a correr detrás de él dando gritos y agitando los palos y las mujeres y los niños salen de detrás de los árboles haciendo un gran estruendo con las latas. El lobo huye, asustado, hacia adelante y cae en la trampa. Le cogen vivo y, durante varios días, le llevan por los pueblos para que la gente le insulte y le escupa antes de matarle.

Ramiro habla como si nadie le escuchara. Ramiro fuma y habla con la mirada perdida en las montañas, en la línea del cielo por la que el sol se hunde, acorralado por las sombras, en el chorco sin fondo de la noche helada.

Por la mañana, una delgada lámina de escarcha nos esperaba en la collada. Una lámina blanca que el débil sol ensangrentado de setiembre, casi tan frío como la propia escarcha, pugnaba por deshacer.

En el profundo tedio en que Ramiro y yo quedamos sumergidos cuando se va el verano y, con él, nuestras nocturnas correrías por el valle, tumbados siempre en el camastro, sin nada que decirnos, sin nada ya que hacer sino contar las horas por el lejano silbido de los trenes o venir de tarde en tarde hasta la boca de la cueva para observar con los prismáticos los movimientos de los guardias, siempre supone una especial emoción salir con el alba a comprobar las trampas. Sobre todo el primer día.

Hay que acercarse despacio entre las urces y el tomillo, buscar las huellas en la escarcha y repasar uno a uno los pequeños promontorios de tierra amontonada. En cualquiera de ellos puede surgir el ovillo gris de una liebre o la mirada aterrada de un tejón que lucha todavía por librarse de su trampa.

Pero no hay nada aún esta mañana. Sólo el silencio, enroscado como un animal ciego entre los matorrales, y un viento frío que golpea suavemente sus espaldas.

—Mala señal —dice Ramiro mirando con decepción la última trampa.

Es lo que siempre dice el primer día, haya lo que haya. Busca un momento por la escarcha unas huellas todavía inexistentes, comprueba una vez más el buen funcionamiento de los lazos y regresa a la cueva con gesto preocupado:

—Mal invierno se avecina, Ángel.

Pero mañana saldrá de nuevo con el alba para volver a repasar las trampas. Y, así, uno, y otro, y otro día, hasta que, al fin, una mañana me despierte de regreso con la victoria estallándole en los ojos y una liebre pendiendo ensangrentada de su mano.

Capítulo XII

Despierto y un brillo extraño, frente a mí, me sobresalta. Son los ojos de Ramiro, encendidos como brasas en la oscuridad.

—¿Qué pasa? ¿Por qué me miras así?

Ahora es él el que se sobresalta: como si mis palabras le hubieran rescatado de un sueño profundísimo.

—Nada.

Pero está acurrucado muy cerca, casi encima de la lumbre. Y envuelto en el capote y varias mantas.

Me incorporo torpemente en el jergón.

—¿Qué te pasa, Ramiro? Estás blanco como la nieve.

—Tengo fiebre —responde al fin—. Debe de ser eso.

—¿Y frío?

—Sí. También.

—Espera —le digo, levantándome—. Echaré más leña al fuego.

—No, Ángel. Déjalo —me detiene él—. Hay que apagarlo ya. Está amaneciendo.

Por la boca de la cueva, en efecto, se cuelan ya los primeros hilos de luz del nuevo día. Un día que se anuncia frío y gris como el mes que, con él, nace: noviembre.

Ramiro se encoge bajo las mantas, apoya su cabeza en la pared y se queda mirando los rescoldos calcinados de la lumbre.

Ha estado todo el día tumbado en el jergón, cubierto con sus mantas y las mías, tiritando.

Ramiro se revuelve sin cesar. Dice palabras sueltas, inconexas: delira. Y una intensa palidez se apodera poco a poco de su rostro acentuando aún más la quemazón de los ojos. Yo le doy a beber agua fresca, le humedezco la frente con un trapo húmedo. Pero todo es inútil. La fiebre va en aumento y, a mediodía, su cuerpo es ya una llama viva.

Afuera, mientras tanto, un viento helado y duro muerde con rabia los piornos y las urces, aúlla en las aristas de la peña, se cuela por el estrecho pasadizo hasta el fondo de la cueva y huye de nuevo por los montes llevándose consigo el fuego helado de los ojos de Ramiro.

Al caer la noche, con el capote de Gildo desplegado nuevamente a la entrada de la cueva, apilo ramas secas en el hoyo de la lumbre. Pronto, una onda caliente y amorosa se expande suavemente por todo el pasadizo.

Es el momento que esperábamos desde el amanecer.

—Voy a cocer café. Con aguardiente. Te vendrá bien.

Ramiro ni siquiera se vuelve para mirarme.

—Déjalo, Ángel —me dice.

—¿Por qué?

—No servirá de nada.

Y se quita la bota izquierda para enseñarme una herida sucia, profunda, amoratada. Un tajo descarnado en la planta del pie.

—Fue un bote —me dice—. Ayer salí descalzo al piornal.

—¿Y por qué no lo has dicho antes?

—¿Para qué? ¿Qué podías hacer tú?

Busco una cazuela y pongo agua a calentar. Le lavo y limpio la herida y, luego, se la cubro con un trozo de venda.

Pero, al tratar de ponerle la bota nuevamente, el pie, muy hinchado, apenas cabe ya dentro de ella.

—Tiene que verte un médico, Ramiro.

Él ni asiente ni rechaza. Se limita a mirarme en silencio desde el fondo de unos ojos comidos por la fiebre. No se puede ver la herida —ni siquiera lo ha intentado, derrumbado como un saco en el jergón—, pero seguramente ha adivinado ya en mis ojos la verdadera importancia de su dolor.

La Garganta del Tojo, al norte de Vegavieja, es un valle cerrado y profundo —de tojos y helechos— donde nace el río Negro y tienen los invernales los vecinos del pueblo. Y aquí suben cada invierno con las vacas para pastar el trébol de las brañas altas y reservar así para más adelante la hierba almacenada a lo largo del verano en las tenadas de las casas.

Desde lo alto del monte, en la noche, los invernales del Tojo parecen estrellas de piedra en el cielo invertido del valle.

—Es aquél: el de ahí abajo.

Ramiro, envuelto en el capote y una manta, señala con la mano el invernal más cercano.

—Hay un sendero que baja cerca del río.

—Siéntate, Ramiro. Descansa un poco.

Pero él rechaza, tajante:

—No estoy cansado.

Y reanuda la marcha, apoyado en mi hombro, cojeando.

Un denso olor a hierba seca y fermentada envuelve la quietud del invernal. Y, a su lado, el murmullo del río atraviesa la noche como un fragor infinito.

Pero el perro ya ha oído nuestros pasos y comienza a ladrar en el interior.

Los ladridos arrecian cuando golpeo el postigo cerrado, junto a la puerta.

Es ésta, sin embargo, la que se abre, después de un rato. Y un rostro de mujer, asustado y hostil, asoma con desconfianza por la rendija. Es Tina, la mujer que tantas noches ha acogido a Ramiro en su casa y en su cama.

—Soy yo, Tina. No tengas miedo.

Ella observa un instante los invernales cercanos, aprieta al perro contra sus piernas, acariciándole para que no ladre, y cierra de nuevo la puerta detrás de nosotros.

El perro —un mastín atigrado, con carlancas al cuello para los lobos— nos ve entrar con un gruñido hosco entre los dientes.

—¡Qué susto me habéis dado! —protesta Tina corriendo la tranca.

Dentro del invernal, la oscuridad es absoluta. Y un caliente olor a establo y hierba seca se agolpa dulcemente en los sentidos.

—Ramiro está enfermo —le digo.

—¿Enfermo? ¿Qué te pasa, Ramiro?

Pero él no responde. En su lugar, nos llega un ruido de hierba.

Tina busca un candil de petróleo y lo enciende. El resplandor amarillo ilumina el perfil de las vacas tumbadas, al fondo de la cuadra, los ojos recelosos del perro, detrás de su dueña, y el cuerpo de Ramiro desmadejado sobre la hierba, junto a nosotros.

—Tiene fiebre, mucha fiebre, Tina. Se ha cortado en el pie con una lata oxidada.

—Ven —me dice ella—. Ayúdame a tumbarle en el jergón.

Entre los dos, le arrastramos hasta el colchón de borra apretada donde ella dormía cuando llegamos. Ramiro no puede ya ayudarnos. Pero Tina es muy fuerte. Tiene esa fuerza ácida y dura de la mujer solitaria, obligada a trabajar y vivir como un hombre.

—Tápale bien. Ahí tienes más mantas.

Tina le seca el sudor del rostro con un pañuelo. Ramiro está agotado. Han sido cuatro horas caminando por el monte sin descanso.

—Tina. Voy a bajar al pueblo, a buscar al médico.

—¿A don Félix?

—Sí. ¿Te atreves a quedarte sola con él?

Tina mira a Ramiro, blanco y desencajado a la luz del candil. La fiebre le está devorando. Ella vuelve a secarle el sudor con el pañuelo.

—Vete. Vete tranquilo —me dice—. Yo cuidaré de él.

Todavía espero un rato antes de salir. En las brañas cercanas no se ve ningún movimiento. Hombres y animales deben de dormir compartiendo el calor y el espacio dentro de los invernales.

Escondido entre los robles del camino, he visto las dos brasas encendidas que salen de Vegavieja. Los guardias vienen hablando, pisando los charcos. Y una nube de perros les despide por las últimas casas.

Me tumbo en la hierba, con la respiración contenida y la metralleta empuñada.

—¿Subimos hasta Tejeda?

—¿Ahora?

—Son las dos todavía.

—Ya. Pero mejor bajamos hacia Ferreras y hacemos tiempo en la mina. ¿Quién crees tú que va a andar por ahí con esta noche?

—Nosotros.

Las voces de los guardias se alejan por la carretera. Se pierden entre los robles y el chapoteo de los charcos.

Sin saberlo, casi han rozado la boca de mi metralleta con sus capas.

Ha tardado mucho tiempo en abrir. Demasiado tiempo para esperar a la puerta, expuesto a la mirada desvelada de algún vecino. O al punto de mira de su escopeta.

Ya valgo cien mil pesetas, vivo o muerto.

Cuando al fin aparece, somnoliento y a medio vestir, don Félix contempla con sorpresa la soledad de la noche frente a su puerta. Desde lo alto de la escalera —la mano en la barandilla: piedra sobre la piedra—, el viejo médico escruta temeroso las sombras de los chopos y el temblor de la luna sobre la carretera.

De inmediato comprende que yo estoy aquí.

—Te pedí que no volvieras más.

Don Félix ha buscado un abrigo y ha salido por detrás de la casa a encontrarse conmigo junto al lavadero: en el establo vacío, roído por la hiedra, donde años atrás encerraba el caballo con el que recorría los pueblos del contorno en sus visitas médicas. Y donde una noche de nieve, a la luz de una vela y con ayuda de su esposa, me extrajo de la rodilla la bala que me la destrozó en la refriega que sostuvimos con los guardias la noche que bajamos a La Llánava a buscar al hermano de Ramiro.

Pero, ahora, don Félix, retirado de la profesión, camino ya de los setenta años, sólo aspira a vivir sin sobresaltos sus últimos días cuidando las flores de su invernadero.

—Necesito su ayuda, don Félix. De lo contrario, no hubiera venido.

Don Félix se me queda mirando desde el fondo de unos ojos velados por la noche y por el miedo. Don Félix se me queda mirando como si nunca antes me hubiera visto.

—Ramiro está enfermo —le explico—. Se clavó una lata oxidada en el pie y lleva un día entero comido por la fiebre, delirando. La herida tiene muy mal aspecto: está negra, como podrida. Tengo miedo de que se le haya gangrenado.

Pero la respuesta de don Félix es seca. Quizá, por inesperada, aún más rotunda:

—Lo siento, Ángel. Yo ya no soy médico.

Lo ha dicho sin expresión alguna, hundido en su viejo abrigo, hundido en el rincón del establo vacío.

—Yo ya no puedo ayudaros —se disculpa.

Y desvía sus ojos de los míos.

Inútilmente trato de hallar, entre todas, esa palabra capaz de convencerle. En seguida comprendo que don Félix está ya desde hace años decidido. Él es consciente de que la ayuda que en otro tiempo nos prestó y la propia indefensión de su vejez le protegen de cualquier represalia nuestra y yo también comprendo —aunque ahora quiera resistirme a hacerlo— que el año de cárcel a que fue condenado por ayudarme haya llenado de miedo su corazón.

Pese a ello, insisto todavía:

—Ramiro puede morir.

Pero don Félix ni siquiera responde. Me mira en silencio con expresión vacía. Me ve salir del establo sin despedirme.

Me ha alcanzado en la carretera, todavía cerca del pueblo.

Don Félix viene jadeando por el esfuerzo:

—Ángel.

He estado a punto de disparar sobre él. Afortunadamente, le he reconocido a tiempo: por el abrigo.

—Toma —me dice—. Ábrele la herida con un cuchillo quemado y lávasela con esto.

Cojo el frasco que don Félix me ofrece.

—¿Qué es?

—Alcohol —responde—. No se puede hacer otra cosa.

Y, luego, comenzando ya a retroceder sobre sus pasos:

—Si ves que la fiebre sube y el pie se le pone negro, entrégalo cuanto antes. Tendrán que amputárselo y no podrá seguir escondido.

Ha sido cerca ya de los invernales, en la cumbre de la collada que remonta el camino antes de dar vista al valle, cuando he escuchado los disparos. Una ráfaga seca, cortada, primero. Y, luego, apagándola, el estruendo simultáneo y violento de varias armas.

Instintivamente me he arrojado fuera del camino, sobre un charco. Me quedo inmóvil unos segundos, como una culebra, con la metralleta empuñada y la cara aplastada contra el barro. Me arrastro hasta un matorral. Escucho nuevamente: los disparos se oyen nítidos, cercanos: en los invernales.

La imagen de Ramiro devorado por la fiebre se clava en mi memoria mientras corro collada arriba entre los tojos mojados que se apartan, silenciosos, a mi paso.

He llegado muy tarde, sin embargo. Hubiera llegado tarde de todos modos por mucho que corriera. Un hombre solo, con una metralleta y dos bombas de mano, ninguna resistencia podría oponer a los numerosos guardias que en estos momentos rodean el invernal de Tina. Un hombre solo, con una metralleta y dos bombas de mano, lo único que ahora puede hacer es asistir como un testigo mudo, agazapado entre los tojos, al dantesco espectáculo que ahí abajo, en el valle, se está desarrollando: las vigas del tejado, la puerta y los postigos, la hierba almacenada en el establo, el invernal entero arde en medio de la noche convertido en una enorme pira. Llamas rojas, violetas, amarillas, muerden con rabia de mercurio las lábanas de piedra y las pizarras, se extienden a los árboles cercanos, se alzan por encima del tejado convirtiendo la bóveda del cielo en una gigantesca fundición. Y una densa columna de humo negro se funde con la noche ofreciendo a un dios bárbaro e impasible el bramido brutal de las vacas abrasadas.

Los guardias han dejado de disparar. Seguramente aguardan, desplegados por las brañas, la irrupción desesperada de Ramiro y —pensarán también— la mía. Pero pasan los segundos, lentos, interminables, y el angustioso mutismo del invernal reaviva en mi corazón la llama de la esperanza: quizá Ramiro y Tina lograron huir a tiempo y ahora contemplan desde el monte, como yo, el incendio y el cerco de los guardias.

De pronto, sin embargo, dos disparos de pistola retumban dentro del invernal. Secos. Inequívocos. Brevemente aislados entre sí.

Casi a continuación, el tejado se desploma envuelto en llamas.

Cuarta parte

1946

Capítulo XIII

Durante todo el día estuve observándolas. Subieron con el sol por el camino de Valgrande, se dispersaron monte arriba buscando entre los brezos el brote de la aliaga y la lavanda y, ahora, de nuevo reagrupadas, duermen bajo la luna en las praderas frescas de Fuente Amarga.

Con las primeras sombras abandoné la cueva y comencé a acercarme. Despacio. Muy despacio. Como un lobo que trata de caer por sorpresa sobre el sueño confiado de un rebaño. Pero, todavía lejos, las yeguas olfatearon mi presencia y se alejaron con un galope inquieto dejando sola a la vacada y despertando en mí de nuevo la oscura sensación de haberme convertido ya en una auténtica alimaña. Un alimaña que se arrastra bajo el peso de la noche para robar una gallina en algún corral dormido o un oveja separada de un rebaño. Una alimaña cuya proximidad asusta a hombres y animales. Una alimaña —¿o acaso podría llamarse de otro modo?— que sólo abandona su guarida cuando la luz del sol no puede dañar ya sus ojos inundados de soledad y de sangre.

Pero, hoy, esta alimaña ha bajado hasta aquí buscando leche. Solamente. Un poco nada más de la leche que inflama las ubres de esas vacas hasta casi reventarlas y que, mañana, cuando los dueños suban a ordeñarlas, ni siquiera echarán en falta.

Primero lleno el cántaro de barro que la mujer de Gildo me dejó la otra noche con aceite junto a las tapias del cementerio de Candamo y, luego, cansado del descenso tortuoso entre los brezos del barranco de Valgrande, me tumbo junto a una de las vacas, sobre la hierba húmeda, para beber directa y largamente de sus tetas como aquella culebra que, un verano ya lejano de mi infancia, entraba por las noches en la cuadra de mi casa y mamaba la leche de las vacas. Todavía recuerdo el terror de mi hermana y el mío, abrazados bajo las mantas, al escuchar los bramidos desolados de las vacas llamando a la culebra la noche en que mi padre descubrió su nido en el pajar y la mató a golpes de aguijada.

Mas sé que a mí, cuando me maten, ni siquiera las vacas bramarán llamándome.

Toda la noche la danza milenaria de la hierba y el hierro, el zigzag verdinegro de la muerte ante mis pies y el resplandor solitario de la luna de Illarga. Toda la noche inclinado sobre el prado, con la guadaña en las manos y la metralleta a la espalda, para que, al amanecer, mi familia le encuentre ya segado.

Es mi manera anónima y humilde de devolverles alguna de las muchas noches que, en estos años, les he robado.

De regreso a la cueva, rayando casi el alba, el silencio me sale a recibir hasta la entrada. Ha llenado por completo el pasadizo e invade ya como una niebla sucia las grietas de la peña y las profundidades del piornal.

Antes, cuando Ramiro aún vivía, era fácil ahuyentar su presencia con sólo una mirada o una palabra. Pero, ahora, adueñado otra vez, quizá definitivamente, de este húmedo agujero donde sólo él habitó desde la noche de los tiempos, ni siquiera la voz puede ya quebrar su equilibrio, el gemido profundo que anida en el fondo del monte y de mi corazón.

Tardé mucho tiempo, sin embargo, en acostumbrarme a él. Me revolvía al principio bajo las mantas incapaz de soportar con mis únicas fuerzas todo el peso de su soledad. Me despertaba de noche sobresaltado por su aliento cercano de animal al acecho. Y muchas veces abandoné la cueva y vagué durante horas por el monte sin rumbo y sin sentido tratando de olvidar la locura de su perfección. Hasta que, poco a poco, hube de admitir que nada podría hacer por evitar su presencia y su compañía. Hasta que, poco a poco, hube de reconocer que él, el silencio, era el único amigo que me quedaba ya.

Hoy es mi mejor aliado en esta larga lucha contra la muerte. Y, como un perro, me sale a recibir, cuando regreso, hasta la entrada de la cueva.

Dejo el cántaro con la leche escondido en el piornal, cubierto con una manta para que no le golpee la luz. Como un poco de pan con cecina y me tumbo vestido, agotado, sobre el jergón.

Afuera, por las crestas de Peña Malera, el sol está ya a punto de estallar.

Despierto cuando todos, ahí abajo, están durmiendo. Es la hora de la siesta y un sol rojo y violento, como de sangre seca, se cuelga sobre el vértice del cielo levantando pirámides de oro por las eras y acorralando a la gente dentro de las casas. Ni un símbolo de vida rompe el orden de las sombras y el silencio: ni un perro por las calles, ni un sonido, ni un temblor tan siquiera de visillos en las ventanas entornadas de las habitaciones donde hombres y mujeres dormirán ahora empapando las sábanas de sudor y de sexo.

Sólo yo, tras los prismáticos, vigilando desde el monte el sueño de los pueblos. Sólo yo, tras los prismáticos, condenado a estar en guardia mientras todos duermen.

Cuando vuelvo de lavarme, traigo el cántaro que anoche dejé en el piornal. Tomo un poco de leche migada con pan viejo —mi hermana amasó la otra semana y me dejó, como siempre, dos hogazas enterradas en el rincón del huerto— y el resto la vierto en latas vacías para que cuaje y fermente. El goteo misterioso de los quesos no tardará en hacer su aparición.

Después, a falta de tabaco y como tantas veces, lío un cigarro con hojas de patata secadas junto al fuego y me siento a la entrada de la cueva a limpiar las armas mientras vigilo.

El valle ha comenzado a despertar y una sucesión interminable de mugidos y portones entreabiertos extiende de nuevo por los pueblos el latido profundo que brevemente interrumpió la siesta. Yuntas de vacas, carros y personas vienen y van por los caminos, acarrean cereal en los sembrados, se afanan en las eras. Todos parecen cegados por el sol y el brillo incandescente del centeno. Todos parecen aún adormecidos por el recuerdo reciente de la siesta y el murmullo áspero y seco de los trillos.

Pero, de vez en cuando, hacen un alto en su trabajo para limpiarse el sudor y el polvo de la paja y, casi sin querer, como en un gesto aprendido, miran al monte buscando entre las urces y los robles mi presencia distante, vigilante y muda.

Ni un solo instante se olvidan de mí. Nueve años ya persiguiéndome noche y día y continúan mi búsqueda sin cejar un solo instante. No lo harán hasta que me vean tirado en un camino con la boca y los ojos llenos de ortigas.

Esta mañana, cuando volví a la cueva, patrullaban el camino y las calles de La Llánava. Ahora van hacia Ferreras siguiendo la vía.

Cae la tarde, un día más se deshace como escarcha hacia las crestas de Peña Negra, pero los guardias siguen sin olvidarse de mí un solo instante.

Capítulo XIV

La luna se ha enredado entre las ramas de los chopos y su lejano resplandor apenas logra iluminar la espiral lenta del baile ni la huida de las parejas que se alejan silenciosas buscando la soledad.

Cerca de mí, junto al camino, un enjambre de niños bulliciosos se arremolina frente al maletón de cuero en el que Braulio, el buhonero ambulante de Tejeda, ofrece su mundo mágico de pólvora y caramelos. Y, más allá, en pequeños grupos, hombres y mujeres ya mayores, con los zapatos y los trajes de domingo, contemplan el baile de los jóvenes con una mezcla indefinida de nostalgia y envidia.

Después de tanto tiempo sin poder estar así, mezclado entre la gente, como uno más, sin nada que aparentemente me separe, sin nada que delate entre las sombras de los chopos mi auténtica identidad, una dulce sensación embriaga poco a poco mis sentidos hasta hacerme olvidar por un instante el silencio de la cueva o la desolación inmensa de las noches vagando sin rumbo por el monte. Como si no fuera yo quien ha bajado hasta la fiesta de La Llera atraído como un niño por ese acordeón que muerde el viento. Como si no fuera yo quien ha llegado aquí empujado por los recuerdos y la soledad.

Una dulce sensación que me envuelve como niebla y que como niebla también se difumina y se deshace al contacto de mi mano en la pistola. Ese tacto frío y gris, en el bolsillo, que se encarga otra vez de recordarme lo que ahora de verdad yo soy aquí: un lobo en medio de un rebaño, una presencia extraña y desconocida.

No son sus ojos los que me han mirado, sino dos brasas negras.

Altos ya la luna y el cansancio de la noche, con la gente comenzando poco a poco a dispersarse hacia sus casas, los ojos de Martina han rasgado las sombras de la noche hasta clavarse, al fin, en los míos.

Yo hacía tiempo, sin embargo, que la había descubierto girando entre una nube de rostros imprecisos. Rostros borrosos, deformados por la luz de la bombilla, en los que sin embargo no me fue difícil descubrir el recuerdo lejano de antiguos alumnos y vecinos. Todos marcados ya por la huella de los años y el olvido. Todos inalcanzables para mí, al otro lado del destino. Todos ajenos por completo a mi presencia junto a ellos, incapaces de imaginar siquiera —como los guardias que contemplan aburridos el baile junto a los músicos— que yo pudiera atreverme a venir hoy aquí.

Sólo Martina me ha reconocido. Sólo ella ha sabido descubrir entre las sombras de los chopos al hombre que hace ahora ya diez años bailaba en este mismo prado abrazando su cintura. Aquel hombre que llegó un día al pueblo de maestro, que le habló de amor y de hijos, y al que el oscuro torbellino de la guerra alejó para siempre de su vida.

Se ha quedado un instante mirándome, inmóvil, con los ojos ardiendo en los míos.

Después, sin que nadie lo note, ha seguido bailando, en silencio, abrazada con fuerza al marido.

Hasta las fuentes de Peña Negra la música del acordeón me ha perseguido.

Hasta las fuentes de Peña Negra los ojos de Martina han seguido ardiendo en los míos.

Me ocultaron la verdad hasta el último instante. Silenciaron su angustia para ocultar la mía hasta que, ya irreversible, mi hermana colgó en la ventana su pañuelo amarillo y Pedro, su marido, subió de noche al monte para encontrarse conmigo en el redil de la collada.

Ni siquiera ellos conocen la situación exacta de la cueva.

Le esperé casi una hora escondido entre estas tapias que el verano y el rebaño abandonaron hace sólo una semana. Le esperé hundido en la penumbra de un rincón, escuchando en tensión los sonidos del monte mientras trataba de adivinar la razón de esta alarma repentina, para, al fin, cuando la puerta se abre con un crujido viejo y la mirada de Pedro me encuentra en la oscuridad, conocerla a bocajarro: agotado, aplastado por los años, cansado de sufrir, mi padre está muriéndose ahí abajo.

—Esta noche, mañana, no lo sé, Ángel. Está inconsciente, agonizando. El médico ha dicho que es ya cuestión de horas.

Pedro —la voz entrecortada por la subida al monte, la respiración encendida y rota— mira nervioso las sombras del redil en nuestro derredor, se recuesta en la tapia, rehúye el hielo súbito de mi mirada. Como si él tuviera la culpa de lo que está pasando. Como si él fuera el responsable de la noticia que acaba de alojarse en mi corazón como un disparo.

Él, que lo único que ha hecho es volver a poner en peligro su vida por mí.

—Juana quería avisarte antes, el viernes, cuando se puso malo —me dice tras una pausa—. Pero ¿para qué? ¿Para echarte más tierra encima?

Por el tejado roto, roído por la nieve, desvencijado, un grumo de luz mojada —de estrellas lejanísimas— se cuela oblicuamente iluminando los ojos de este hombre al que ni el riesgo, ni el temor, ni las presiones y amenazas de los guardias hicieron desistir de su deseo de casarse con mi hermana. Este hombre que ha comenzado a sufrir ya las consecuencias de entrar a formar parte de mi vida.

—¿Qué piensas hacer, Ángel?

Pedro sigue recostado contra la tapia, inmóvil frente a mí, ahora ya otra vez mirándome.

Pero yo no puedo contestarle. Es como si el silencio, este silencio trasparente y duro que, siempre, inevitablemente, se apodera de mí en ocasiones como ésta, convirtiera mi rostro en una mueca inexpresiva y fría, mi lengua en barro.

Únicamente puedo negar con la cabeza cuando insiste:

—¿Necesitas algo?

En vano espera una palabra mía, una sola palabra. Un corazón helado es un paisaje sin viento ni sentido.

Pedro se incorpora nervioso, cada vez más nervioso, impaciente por regresar a casa.

—Tengo que irme, Ángel. Juana quedó sola con él, estará intranquila esperándome. Tú sigue atento a la ventana. Te tendremos al corriente de lo que pase.

Y, luego, ya en la puerta, despidiéndose:

—Lo siento mucho, Ángel. Sobre todo por ti.

—¿Por mí?

He escuchado mi voz como si no fuera mía. He oído mis palabras como si yo no las hubiera pronunciado. Como si llegaran de algún lugar lejano en el que yo jamás hubiera estado.

—Juana me tiene a mí —dice Pedro—. A ti no te queda nadie.

Camino de la cueva, en medio de la noche, tropezando en las urces como un sonámbulo, el recuerdo de mi padre estalla en mi memoria deshecho en mil imágenes, en un alud de partículas hirientes y borrosas, como cristales rotos, que apenas logran ya alcanzar lo que el dolor oculta y cuyo último destino es el de irse corrompiendo poco a poco en el pantano sin fondo del olvido.

Camino de la cueva, el recuerdo de mi padre se hace sombra de luna, brezo, sangre.

No he podido aguantar más. No he podido soportar por más tiempo la angustia de la espera y el eco de este aullido que silba como el cierzo por las paredes de mi corazón.

Durante todo el día, he vigilado la ventana de mi casa

esperando esa señal que me revele en la distancia el estado de mi padre. Durante todo el día, agazapado como un topo en la boca de la cueva, sin comer ni dormir, sin atender siquiera la obligada vigilancia de los guardias, he rastreado las continuas entradas y salidas de vecinos en mi casa intentando adivinar la expresión inalcanzable de sus caras a través de los prismáticos.

Durante todo el día, he vigilado en vano. Ninguna contraseña, ningún gesto, nada ha roto la corteza de silencio que rodea las paredes de mi casa.

Por eso, en cuanto cae la noche, cojo la metralleta y, sin pensarlo, me lanzo monte abajo.

Ahí están, como temía, apostados en el callejón trasero, vigilando la casa y esperándome. Esperando a que yo cometa el error de bajar a despedirme de mi padre.

Son tres. Y no abandonarán sus puestos hasta que el amanecer venga con su luz fría a relevarles.

Pero yo no he llegado hasta aquí para quedarme ante las puertas de mi casa. No he arriesgado mi vida esta noche para volver a la cueva con las manos vacías y este aullido de nieve royéndome las entrañas.

Sé que aún tengo una posibilidad. Una única posibilidad tan débil y arriesgada que, en cualquier otra ocasión, la hubiera rechazado de antemano. Pero que, hoy, al borde ya de la locura, con el instinto y la razón deshechos entre la bruma de la desesperanza, estoy dispuesto, pase lo que pase, a aprovechar.

Durante largo rato, agazapado entre los árboles, compruebo lo que ya suponía y esperaba: como de costumbre, los guardias centran su vigilancia en las entradas traseras de la casa. Uno en cada esquina y otro desde una tapia, cerrándome el camino hacia el pajar y hacia el pequeño ventanuco de la cuadra.

Así que, lentamente, me arrastro por los huertos hacia la parte delantera de mi casa, cruzo entre las carrizas el arroyo de las vacas y, como un vecino más que tras cenar y disponer el pasto del ganado acudiera a velar la agonía de mi padre, salgo al camino y avanzo decidido hacia esa puerta por la que nunca, y menos esta noche, podrían sospechar los guardias que yo me atrevería a entrar en casa: la puerta principal, la puerta delantera de la calle.

Esta puerta de nogal pesada y vieja que hacía ya diez años no empujaba.

Se han vuelto todos hacia mí, sobresaltados.

Bruscamente ha cesado el murmullo de las conversaciones y los rezos en voz baja y, como una ráfaga de nieve repentina, el silencio y el miedo han batido las paredes de este cuarto donde se escucha ya el rumor de limos de la muerte.

Se han vuelto todos hacia mí como si ésta acabara de hacer su aparición a mis espaldas.

Desde la puerta, la metralleta baja, recorro la habitación de una ojeada: los rostros silenciosos, asustados, de las mujeres que rodean como un retablo en negro el espacio de la cama: el resplandor amargo y verde del aceite de las lámparas: las miradas lejanas de los hombres, de pie junto a la ventana: el vaho del espliego: los ojos de mi hermana, al otro lado, junto a la cabecera donde una llama helada se desangra sobre el granate de las mantas iluminando la respiración profunda, entrecortada, de mi padre. Ajeno ya por completo a cuantos le rodean. Definitivamente hundido en ese río subterráneo que avanza por su boca y por sus brazos.

Ni siquiera reconozco a las personas que se apartan en silencio para dejarme paso. El vaho va borrando sus rostros a mi lado mientras, al fondo, el de mi padre se enmarca y agiganta, blanco de muerte sobre la superficie blanca de la almohada.

—Padre.

Cojo su mano y una lengua de hielo atraviesa la mía.

—Soy yo: Ángel. He bajado.

—No puede oírte, Ángel.

Es la voz de mi hermana. Está junto a mí, vestida ya de negro, con los ojos abrasados por las lágrimas.

Pero yo soy el que ya no puede oír. Yo soy el que no puede entender el sentido final de sus palabras y el que insiste una y otra vez apretando hasta el dolor la mano de mi padre:

—Padre. Estoy aquí. He venido. ¿No me oye? Soy Ángel.

—¡Vete, Ángel! ¡Por el amor de Dios, vete de aquí! ¡Déjale en paz!

De pronto, la voz de Juana se ha quebrado en un aullido incontenible, en un grito que sacude las paredes y los rostros aterrados, pero que no consigue despertar de su sueño blanco los ojos de mi padre.

—¡¿Qué quieres?! ¡¿Acabar de matarle?!

Rompió a llover hacia la medianoche. Rompió a llover como si nunca más hubiera de volver a amanecer.

Pero lo hizo con una luz lechosa y fría. Con una luz empapada de ozono y limos grises que iluminó mi casa y, en la ventana, la negación del viento que jamás podrá volverme a abandonar.

Al mediodía, la lluvia ya amansada y el barro apoderándose del río y los caminos, los ladridos de los perros y las campanas de La Llánava entran a buscarme hasta el fondo de la cueva, hasta el rincón helado donde, durante horas, he tratado inútilmente de olvidar el ladrido de este perro que se alimenta de sangre dentro de mi corazón.

Ante la puerta de mi casa, bajo los paraguas, la gente espera ya la última salida de mi padre. Son como sombras negras, borradas por la lluvia y la distancia a través de los prismáticos. Sombras lejanas que seguramente ahora comentan en voz baja lo que todo el pueblo sabrá ya: que yo, anoche, estuve allí. Que yo, anoche, mientras ellos dormían, mientras el viento golpeaba los cristales de sus casas y los perros aullaban en las cuadras barruntando la llegada de la muerte, abandoné mi escondite en las entrañas de los bosques, atravesé los círculos concéntricos de la noche y el olvido e, inesperadamente, me presenté en mi casa para dar el último adiós a ese hombre que ahora es sacado de ella a hombros de sus vecinos para no regresar jamás.

Las campanas han comenzado a doblar con tristeza aún más profunda. Húmedas se estremecen por los tejados y los campos antes de deshacerse con un dolor de hierro contra las peñas ateridas. Brota la lluvia con fuerza repentina mientras el carro con el féretro se pone en movimiento delante de mi casa arrastrando tras de sí un reguero de paraguas y la leyenda de ese hombre indómito e invisible que anoche, una vez más, volvió a burlar la vigilancia de los guardias y que, sin duda, ahora les estará observando desde alguna parte. Ese hombre imaginado tantas noches, al calor de las cuadras y cocinas, inmortal como su sombra, lejano como el viento, valiente, astuto, inteligente, invencible.

Ese hombre al que el espejo de la lluvia, en la montaña, devuelve sin embargo la memoria de lo que siempre ha sido: un hombre perseguido y solitario. Un hombre acorralado por el miedo y la venganza, por el hambre y el frío. Un hombre al que incluso se le niega el derecho de enterrar el recuerdo de los suyos.

Cuando llego al camino, la lluvia ya ha cesado. Una luz gris, de luna lejanísima —(«Mira, Ángel. Mira la luna: es el sol de los muertos»)—, ilumina levemente la línea de los montes y el temblor estremecido de los árboles.

El río baja bronco, enfurecido. Golpea con su aullido los troncos de los chopos y los tejados negros que duermen a lo lejos, entre las ramas rotas, de espaldas a este huerto solitario donde crecen las ortigas y el silencio desde la noche más lejana, desde el principio de los siglos.

La puerta está cerrada. Un candado de hierro guarda bajo su óxido el sueño de quienes ya cruzaron el río del olvido. Pero la tapia no es muy alta. Y un crujido de zarzas me espera al otro lado, me aplasta suavemente contra el barro.

Aquí están, al fin, silenciosos y grises delante de mis

botas, los montones de tierra donde fermenta el tiempo, donde se pudren con mansedumbre antigua pasiones y recuerdos. Aquí están, como montañas de tristeza bajo una luna lejanísima y mojada: el de mi madre, cerca de la puerta, endurecido ya por el paso de los años: el de María, alzado solamente por entregarme a mí su soledad y su venganza: el de Benito: el de Teresa, la niña ahogada: el de Ramiro, en el rincón de los proscritos, borrado ya definitivamente por un montón de ortigas después de que su cuerpo calcinado fuese exhibido por los pueblos como un trofeo de caza.

Y aquí está, delante de mis botas, sin nombre aún, sin fecha hacia el olvido, el cuadro de tierra removida donde, desde esta tarde, está esperándome mi padre.

—Soy yo: Ángel. He bajado.

Capítulo XV

—Quítate esa ropa. Estás empapado.

Lina ha apagado la luz y ha cerrado con llave las puertas de la calle. Ahora atiza el rescoldo de la lumbre y una sustancia roja se levanta desde el fondo del fogón iluminando su rostro somnoliento y duro. Estaba ya en la cama.

—¿El niño?

—Durmiendo. Habla bajo.

Lina mete mis botas en el horno y extiende sobre el cuadro de la trébede la ropa y el capote. Me trae luego un pantalón y una camisa, anchos, excesivamente grandes.

—Eran de Gildo —dice.

Poco a poco, voy entrando en calor. Poco a poco, voy arrancándome del alma la huella de la niebla que atraviesa ahí afuera la noche de noviembre con su cuchillo helado.

Lina, despeinada y cubierta con un camisón blanco, se sienta junto a mí, en el extremo del escaño. Está muy pálida, más delgada, y un mar de arrugas infinitas, profundizadas por el sueño, surca su cara. Pero quizá eso mismo contribuye a acentuar todavía más la belleza dura y extraña de esta mujer que avanza ya, completamente sola, hacia la frontera de los cuarenta años.

Esta mujer que ni siquiera en los momentos más difíciles me ha abandonado.

—¿Cómo estás, Ángel?

—Cansado. Cada vez más.

—El invierno está ya ahí fuera. Pronto va a nevar.

Sobre la chapa del fogón el agua de la ropa levanta gotas de humo, blancas burbujas que se deshacen en el hierro sin haber nacido aún. Como las grietas de la niebla. Como mi voz en el silencio gris de esta cocina:

—No sé cuánto podré aguantar ya.

—¿Sabes?

—¿Qué?

—¿Sabes lo que dice la gente? —Lina cambia de postura; se mueve, incómoda, en el escaño. Evita mis ojos para decirme—: Dicen que lo mejor que podrías hacer es beberte una botella de coñac y pegarte un tiro.

Se ha quedado mirándome con el pulso en suspenso. Como asustada de lo que acaba de decirme. Como asustada de sí misma.

Se ha quedado mirándome como si ésta fuera la primera vez que me hubiera visto.

Antes de marchar, me tapa con una manta y atiza por última vez las brasas mortecinas. Me había quedado dormido.

—Te llamaré a las cinco. Duerme tranquilo.

—Lina.

—¿Qué?

—Diles que no soy un perro. Díselo, Lina.

Tumbado en el escaño, escucho sus pasos por la escalera, el crujido de las tablas encima de la cocina, el ruido de la cama al recibirla. Tumbado en el escaño, oigo durante un rato su respiración solitaria y profunda. Y, sin saber por qué, me duermo con la oscura sensación de estar traicionando la memoria del hombre cuya ropa llevo encima.

Cerca de Fuente Amarga, por los tejares solitarios de Respino, un olor a quemado me detiene, inmoviliza mis pasos y mi respiración. Es un olor a humo lejano, muy lejano, deshecho entre los hilos de la niebla.

Desde lo alto de una roca, la metralleta ya empuñada, olfateo como un lobo la soledad de la noche, escucho atentamente los sonidos del monte a mi alrededor. Pero la niebla lo borra todo, borra y confunde olores y sonidos en un tejido único. Deshace las distancias en un fantasmagórico temblor.

Imposible conocer el origen del fuego. Imposible adivinar la dirección del humo.

Algún pastor habrá hecho lumbre en algún sitio.

Ha sido en la collada, abandonados ya los piornales y los robles del camino, donde una ráfaga de humo más espeso, más negro y definido, me ha arrojado entre las urces, me ha aplastado contra el suelo, sobre la grama dura y helada. Ninguna hoguera arde, solitaria y lejana, bajo la niebla. No hay pastores ni arrieros calentándose a la lumbre en ningún sitio. El fuego está ahí al lado, frente a mí. El fuego está ahí al lado: en las cortadas verticales de la peña. Y el humo sale a bocanadas por la abertura oculta de la cueva.

De pronto, la metralleta ha dejado de ser una simple boca de muerte dispuesta a matar. De pronto, la metralleta se ha convertido en un relámpago de hierro que se arrastra velozmente hacia los robles huyendo de la collada y su indefensión. Bajo la escarcha roja va dejando un reguero de hojas. Entre los claros de las retamas va descubriendo las señales violadas que yo ayer dejé al marchar: esa rama cruzada que ya no está ahí: esa línea de hojas que ha sido pisada: ese montón de tierra que alguna bota seguramente se llevó...

El disparo ha segado los hilos de la niebla como una exhalación. Ha cortado mi avance y ha estallado en la peña, casi encima de mí.

El disparo ha segado al unísono los hilos de la niebla y de mi corazón. Pero, antes de que éste pueda apenas darse cuenta, antes aun de que quienes me estaban esperando hayan tenido tiempo de reaccionar, yo estoy rodando ya por la quebrada de la peña, arrastrando matojos y piedras desprendidas, rebotando en la tierra como una piedra más. Las ramas arrancadas me acompañan y empujan. Los cardos y las urces se agarran a mi ropa intentando pararme. Pero no hay elección. La pendiente no se detiene. La pendiente no acaba nunca. Los disparos aúllan buscando mi sombra y los gritos de los guardias desgarran ya la niebla a mi alrededor. Están ahí, mezclando casi su aliento con el mío. Están ahí. No hay elección.

El salto ha sido eterno, interminable. El tiempo se ha detenido, indefinidamente, en mi corazón. Sólo la niebla, negra y helada. Sólo la niebla, cubriéndolo todo, y, al fin, un golpe seco, brutal, bajo mis pies.

He corrido con todas mis fuerzas. He corrido con rabia, como un perro herido, conteniendo el dolor.

Monte abajo, sobre los matorrales, rompiendo la niebla, he corrido con todas mis fuerzas hasta caer reventado en el fondo del valle, a la orilla del río, entre la espesura vegetal y fría de la que brotan ya los primeros destellos del amanecer.

Gritos, sombras de pájaros. Una racha de viento entre los avellanos y el temblor fugitivo de las hojas que caen.

Escucho. Asomo levemente la cabeza entre las espadañas y los juncos. Miro a mi alrededor: nada, el silencio, la niebla, las ovas enredadas en el centro del río y mi propio reflejo en la profundidad.

Ni rastro de los guardias. Ni una sombra. Ni un ruido. Ni el eco amortiguado de un paso o de una voz.

Pero, hasta que anochezca, ya no podré salir de aquí.

Dos días y dos noches duró la tormenta. Dos días y dos noches huyendo por los montes, en medio de la nieve, siempre hacia el norte. Hacia el confín del viento y de la soledad.

Comenzó a media tarde, todavía en el río. Una ráfaga seca destrozó los restos de la niebla, entre los avellanos, y un bramido profundo bajó de las montañas arrastrando a su paso retamas y árboles caídos. Se embraveció aguas abajo el grito de las algas y una lámina blanca, como de acero y hielo, borró todo el paisaje en torno a mí.

Sobre los cuatro extremos de la tierra, adelantando

la noche y el invierno, adelantando estrellas y muertes y oraciones, súbitamente comenzó a nevar.

Dos días y dos noches duró la tormenta. Dos días y dos noches huyendo por los montes, cegado por el viento, sin comer ni dormir, sin saber dónde esconderme, a dónde ir, sin otra fe en mis fuerzas que mi propia, infinita, inexpugnable desesperación. Esta pasión que me ha arrastrado lejos de los rescoldos mortales de la cueva. Esta pasión que me ha empujado a través de la ventisca y me ha guiado en la oscuridad: evitando el peligroso contraluz de colladas y laderas, fundiéndome en la nieve bajo una manta blanca que robé en un corral de Vegavieja, caminando de espaldas por el día para desorientar el rastro de los guardias que, al saberme sin cueva, acorralado, vigilan pueblos y caminos y baten las montañas en una gigantesca cacería que esperan —tanto tiempo han esperado— sea la definitiva.

Dos días y dos noches duró la tormenta. Ahora es ya el amanecer del tercer día. Para mí, tal vez, el último.

Espero, completamente inmóvil, cerca de una hora. Una honda calma ha sucedido a la ventisca y, en la distancia, bajo la manta blanca, nadie podría distinguirme entre la nieve.

En torno a mí, un paisaje irreal y desolado marca las extensiones infinitas del silencio. Hay una luz metálica, como sobrevenida. Y, en el confín de las montañas que ahora me rodean, la línea del horizonte ha desaparecido otra vez borrada por la niebla.

Un movimiento mío, un solo movimiento, bastaría para romper este equilibrio tan perfecto.

No es eso, sin embargo, lo que me retiene aquí, tumbado entre la nieve como un animal muerto. No es la alucinación borrosa de los bosques que flotan a lo lejos como fantasmagóricos ejércitos de hielo la que me mantiene inmóvil, cara al cielo, desde hace cerca de una hora. Es el agotamiento de los días de caminar sin descanso y, sobre todo, la constatación final de lo que, en sueños, ya había presentido: la barba helada y las uñas reventadas por el frío, la transparencia gris en que la nieve y la humedad del río han convertido mis huesos y mi aliento. Y el miedo a descubrir, cuando me mueva, esa zona insensible de mi cuerpo que el hielo, a lo peor, ya ha dormido para siempre.

Pero no puedo quedarme indefinidamente aquí. Tengo que seguir. Tengo que incorporarme y reanudar la marcha en busca de ese sitio —un chozo abandonado, una cueva, un caserío— donde poder esconderme hasta que mis perseguidores abandonen su captura.

Con miedo, busco bajo la manta y el capote el contacto de mis manos, de mis piernas, de mis pies. Las ropas están heladas, extrañamente duras. Las botas son sólo ya dos masas de cuero mojado y rígido. Lentamente, froto todo mi cuerpo con torpe indecisión. Los músculos se contraen sin fuerza ni dolor. Pero están vivos. Todos. Despiertan poco a poco de un sueño profundísimo, de un sueño tan lejano que ni siquiera al corazón puede alcanzar. Ya de rodillas, como una res caída, miro de nuevo las sombras y las líneas que enmarcan el silencio. Nada: la soledad y yo. La soledad y el cierzo y el llanto deshojado de la nieve con la que froto mis manos y mi rostro para hacerles reaccionar.

Me incorporo con torpeza infinita. Todo mi cuerpo rechina como una máquina fría y oxidada. Pero hay que seguir. Hay que volver, de nuevo, a caminar.

Hacia el mediodía, descubro un chozo de pastores al pie de la montaña. La ventisca ha destruido su techumbre y las empalizadas del corral aparecen cubiertas por la nieve. Pero, a pesar de ello y de la desorientación total en que desde el amanecer he caminado, no me es difícil reconocer en él el viejo chozo de los pastores de Láncara.

Despacio, deslizándome entre los troncos de las hayas que bajan hacia el valle, comienzo a acercarme a la cabaña. La nieve está dura y blanquísima en sus alrededores, sin huellas de pisadas. Los guardias todavía no han venido a registrarla.

Pero mis huellas quedan nítidas, profundas, y pueden atraerles en cualquier instante.

Anochece.

Un día más se diluye como cierzo en el confín azul de las montañas.

Un día más huyendo de mí mismo, sin descanso ni esperanza.

Ni siquiera me he parado a vigilar los apostaderos habituales de los guardias: el puente sobre el río, el vado de las vacas, el callejón trasero de mi casa. Sólo pienso en llegar. En olvidar la nieve. En caer como un saco de tierra en cualquier parte. Hace días que la posibilidad cercana de la muerte ni siquiera alcanza ya a importarme. Hace días que, incluso, he comenzado oscuramente a desearla.

Roto, extenuado, con los pies descalzos, entro en las calles desiertas de La Llánava. Llevo las botas en la mano para esquivar el insomnio acechante de los perros y amortiguar la nitidez de mis pisadas. Mis pies son dos bolsas blancas, sin uñas, desmesuradas. Mi cuerpo apenas puede soportar el peso del capote y de la manta. Sólo la rabia me sostiene en pie. Sólo la rabia y la desesperación que, como una fuerza amarga, me arrastra inexorable hacia mi casa. Hacia esa casa en la que ni siquiera sé quién estará esperándome.

Pero ahí está, por fin, el postigo cerrado del pajar que tantas noches guillotinó la luna a mis espaldas. Ahí está, al fin, el aliento invisible de las vacas: hondo y caliente en su profundidad de siglos, amable como un abrazo al tiempo familiar y extraño. Hace mucho que aprendí a desear menos la compañía de los hombres que la de los animales. Hace tiempo que aprendí el sitio exacto que aquéllos me habían reservado. Pero, hoy, más que nunca, tras nueve días errando entre la nieve, tras nueve largos días de soledad y de frío, de soledad y de hambre, sé lo inmensamente humana que para alguien puede ser la simple oscuridad caliente de una cuadra.

Trepo al postigo con las últimas fuerzas. La paja

gime con un sonido blando. Está podrida y blanca. Como mis pies. Como mi alma.

Como la noche helada que el postigo ha borrado para siempre a mis espaldas.

Capítulo XVI

Abro los ojos y no veo nada. O mejor: una penumbra aún más negra y más espesa que la penumbra física del sueño.

Muevo los brazos y las piernas y una opresión cercana los detiene. Como si hubiera muerto y un féretro de tierra enmarcara las dimensiones invisibles de mi cuerpo.

Pero no. Yo sé que no es verdad. Yo sé que esta ilusión no es más que el último pálpito del sueño. Pese a la oscuridad, pese a la opresión cercana y asfixiante de la tierra, yo sé que aún sigo vivo, enteramente vivo, tan vivo al menos como cuando aún vagaba como el viento entre la nieve. Aunque, desde hace un mes, no pueda ya mirar la luz ni escuchar los lenguajes azules del invierno. Aunque, desde hace un mes, tumbado como un topo en esta fosa subterránea que Pedro y yo excavamos en la corte de las cabras, entre la cuadra y la panera, esté mucho más cerca del mundo de los muertos.

Me han despertado el ruido de la puerta y un remolino de pezuñas encima del tablero. Escucho: pasos, una voz baja abriéndose camino entre las cabras y el silencio. Contengo la respiración, inmóvil por completo. No sé qué hora será. No sé siquiera si, ahí afuera, será día o será noche. Ignoro el tiempo que he podido estar durmiendo.

Pero no hay nada que temer. Tres golpes secos, convenidos, suenan, por fin, encima del tablero.

Cuando salgo, mi hermana o mi cuñado ya se han ido. Me han dejado comida en un caldero, oculta entre hojas secas, y se han ido cerrando la puerta por fuera.

Es lo que hacen cada noche cuando en el pueblo ya todos duermen.

Las cabras me ven salir del agujero con ojos asustados, con relámpagos negros. Siguen sin habituarse a mi presencia. Se revuelven inquietas buscando protección en las paredes. Se apartan a mi paso como ante un aparecido.

Ceno sentado en un rincón, sobre un feje de hierba. Por la ventana del corral una claridad leve ilumina oblicuamente la corte ante mis pies. Poco a poco, mis ojos se van acostumbrando a ella. Poco a poco, todo mi cuerpo, tras la inmovilidad forzosa, comienza a desentumecerse.

Lo que un hombre solo, completamente solo, sentado en un rincón o paseando entre las cabras, es capaz de pensar a lo largo de una noche ni siquiera yo mismo podría imaginarlo.

Lo que un hombre solo, completamente solo, amargamente solo, es capaz de pedir y desear a lo largo de una noche ni siquiera Dios mismo podrá nunca saberlo.

Un corazón solo, en medio de la noche, es siempre una tormenta.

Amanece. Las campanas suenan ya convocando al rebaño y un tren pasa lejano, fundido con el cierzo. Por la ventana del corral la luz comienza a hacerse más blanca y consistente.

Ha llegado la hora. Ha llegado el momento de volver a ese agujero irrespirable y de tumbarme como un topo debajo del tablero. Ha llegado la hora del reencuentro con ese hálito de magmas, de líquenes podridos, que impregna las entrañas de la tierra y el corazón de quien las viola y las habita.

Amanece. Dentro de unos minutos, mi hermana o mi cuñado vendrán en busca de las cabras y extenderán el abono por encima del tablero. Y, entonces, volveré otra vez a ser un muerto.

Primero fue un rumor confuso, lejano, en el corral: en dirección a los pajares y a la cuadra. Luego un silencio amenazado, cargado de tensión. Y, al fin, tras larguísimos minutos de ansiedad y de espera, el golpe de la puerta al abrirse bruscamente y un ruido atropellado de voces y pisadas, entre el revuelo de las cabras, justo sobre mí.

Si siempre, dentro de la fosa, la inmovilidad y el silencio son para mí condiciones permanentes y obligadas, ahora, en cambio, de repente, han pasado a formar parte sustantiva de mi propia identidad. Si siempre la ansiedad me ha acompañado y me ha seguido como un perro allí donde yo voy, ahora, en cambio, de repente, se ha erigido en mi única pulsión. Las botas de los guardias van y vienen por encima del tablero golpeando los vientres de las cabras. Amenazan con sus gritos y sus armas a mi hermana y mi cuñado, obligados, sin duda, como siempre, a entrar delante de ellos en la corte por si yo estuviera ahí escondido y abriera fuego desde la oscuridad. Aunque no puedo verles, por sus palabras y sus gritos puedo seguir los pasos de los guardias con tensa y absoluta precisión: escarban entre los fejes de hoja seca amontonados: apartan maderas y sacos para mirar hasta el último rincón: golpean, en fin, con las culatas de sus armas el suelo y las paredes en busca de ese hueco simulado que el tablero, una vez más, les oculta a sólo unos centímetros de mí.

Mil veces han registrado toda la casa, palmo a palmo: la cuadra y los pajares, la corte, la panera, la cocina de horno, las habitaciones, el desván. Mil veces sin que nunca ni siquiera mi rastro o mi recuerdo pudieran encontrar.

Un portazo violento. Las voces que se alejan al fondo del corral. Las cabras aquietándose y el silencio que cae de nuevo sobre mí. Otra vez. Una vez más. ¿Hasta cuándo? ¿Hasta cuándo habré de seguir viviendo así?

Media hora más tarde —apenas media hora— la puerta de la corte vuelve a abrirse. Suavemente. Ahora suavemente. Y, al contrario que otras veces, tres golpes secos suenan en seguida sobre mí.

Juana me ayuda a levantar el tablero desde arriba. Sus ojos encendidos y su pelo rapado casi al cero es lo primero que mis ojos pueden ver.

—¿Qué ha pasado? ¿Qué te ha pasado, Juana?

Juana no me responde. Deja el tablero a un lado y retrocede algunos pasos, entre las cabras, hacia la oscuridad.

—Te han pegado, ¿verdad?

Ella niega con la cabeza, absurdamente. Las contusiones y los golpes marcados en su cara hablan por ella de manera inequívoca.

Las cabras, como siempre, retroceden asustadas ante mí. Lejos de acostumbrarse, cada día que pasa rehúyen más mi compañía y, últimamente, ni siquiera se atreven ya a acercarse hasta el borde del tablero. Mi olor a tierra hundida las espanta. Mi palidez mortal las llena de temor y de recelo.

—¿Y Pedro?

—Se lo han llevado.

Juana está hundida en la oscuridad. Me mira, inmóvil y distante en medio de las cabras, como si ella también se asustara de mí.

—¿Tienes hambre?

—No.

—No pude hacerte nada —se disculpa—. Los guardias llegaron de repente, por la tarde.

—No te preocupes, Juana. No tengo hambre.

Mientras yo estaba ahí abajo, ha vuelto a nevar. El corral está cubierto por completo y un resplandor helado hiere mis ojos a través de la ventana. El año está acabando y lo hace, como siempre, con furia inusitada. No sé qué puede ser peor: si estar aquí enterrado, bajo la asfixia del tablero y los registros constantes de los guardias, o soportar la ira de otro invierno en las montañas.

—Ángel.

La voz de Juana ha llegado hasta mí temblorosa y quebrada, partida por el peso de unos nervios a punto de estallar. Desde el principio, desde que entró en la corte y me buscó bajo el tablero cuando los guardias ni siquiera debían haber salido todavía de La Llánava, supe que algo grave había ocurrido o me tenía que decir. Algo que yo nunca podría imaginar mientras espero, de espaldas a ella, mirando por la ventana la soledad del corral.

—Tienes que marcharte, Ángel.

Durante unos segundos ni siquiera he entendido las palabras temblorosas de mi hermana. Durante unos segundos ni siquiera he tenido consciencia de haberlas escuchado. Han quedado flotando, suspendidas a mi espalda, hasta que el silencio, de nuevo poderoso, inunda como un vómito la corte y las deshace.

—Tienes que marchar de aquí.

Lentamente me he vuelto buscando la figura de mi hermana. Lentamente mis ojos se han hundido otra vez en la oscuridad.

—¿A dónde, Juana? ¿A dónde?

Los dos estamos ahora frente a frente, separados por el hueco de la fosa y la tibia penumbra de la corte. Juana inmóvil y distante, como una sombra más entre las sombras de las cabras, y yo, a sus ojos, blanco de muerte al contraluz pálido y gris de la ventana.

Los dos estamos ahora frente a frente, distantes, sin mirarnos, sin hablarnos, como si ya no fuéramos hermanos.

Hasta que Juana, de pronto derrumbada, de pronto ahogada por la rabia y por las lágrimas, huye corriendo, huye de mí y de sus palabras por el corral solitario y nevado.

(Pedro —lo supe al día siguiente— volvió al amanecer. Los guardias le llevaron al monte de Candamo y allí fingieron fusilarle.

Pedro —lo supe al día siguiente— lo aguantó todo como siempre: sin despegar los labios.)

Juana tiene razón. Juana y todos los que tantas veces, a lo largo de estos años, me lo han repetido: «Tienes que marchar de aquí, Ángel. Esta tierra no tiene perdón. Esta tierra está maldita para ti.»

Tengo que marchar de aquí, sí. Pero ¿a dónde? Y, sobre todo, ¿cómo?

Si yo lo supiera, hace ya mucho tiempo que hubiera escapado sin tener que esperar a que nadie me lo dijera, sin tener que escuchar que lo mejor para mí sería beberme una botella entera de coñac y meterme un tiro, sin tener que llegar a oírle a mi propia hermana algo que —también lo sé— ella ha sentido más que yo decírmelo. Son muchos años sufriendo esta condena. Son muchos años de soportar detenciones y registros, de recibir en silencio golpes e insultos, de aguantar el aislamiento temeroso de los propios vecinos. Sí. Son muchos años sufriendo por este hombre desahuciado que se agarra con desesperación a la vida y que, en su desesperación, arrastra a todos los suyos.

Juana tiene razón. No puedo permanecer eternamente aquí, tumbado como un muerto boca arriba, sin luz, sin esperanza, con la mirada y el corazón siempre prendidos del vacío. Tengo que huir, romper este cerco angustioso que me empuja cada día un poco más hacia el suicidio. Tengo que escapar de esta tierra maldita y poner kilómetros de silencio y de olvido entre mí y mi recuerdo, entre mí y esta fosa donde el calor y la desesperación se funden en una sustancia putrefacta que comienza a invadir ya mi cuerpo igual que el de aquel hombre de Nogales que, al acabar la guerra, mientras Ramiro, Gildo y yo vagábamos por las montañas, se escondió bajo un pesebre de la cuadra y no volvió a salir más que al cabo de seis años, ciego, enfermo y corrompido, para que su mujer le enterrase de noche, a escondidas, en un rincón del huerto de la casa.

Juana tiene razón. Juana y todos los que tantas veces, a lo largo de estos años, me lo han repetido: aquí no hay esperanza ni perdón para mí.

Aquí sólo me queda ya esperar la muerte enterrado vivo.

Hiere la luz después de tanto tiempo. Hiere con un fulgor de nieve esta luz triste y helada que ahora nace. Después de tanto tiempo. Después de tantos días sin sentirla como se sienten en la piel la lluvia o la nostalgia. Hiere la luz y mancha mis sentidos oscurecidos por la noche, borrados por el viento, ahogados en los ojos de mi hermana cuando cerró la puerta a mis espaldas para, seguramente, no verme nunca más.

Poco a poco, la luz ha dibujado contra la mancha mortecina de la noche el viejo apeadero de Ferreras: el tejado nevado, el andén solitario, los raíles roídos por el óxido y el hielo. Poco a poco, la luz ha diluido la nube del aliento que nacía entrecortada de mi boca. Han sido cuatro horas caminado por el monte hasta llegar aquí. Cuatro horas en medio de la noche, completamente a oscuras, completamente solo, sin fuerzas ya para mirar atrás ni para desear siquiera que amanezca. Como si el tiempo se hubiera detenido para siempre entre las cuatro paredes de mi casa. Como si la desesperación y el miedo que, en la fosa, inundaban mi memoria día y noche se hubieran diluido como polvo al contacto con el viento.

Pero ahora ya amanece en el viejo apeadero de Ferreras. Ahora ya amanece y esta luz que me hiere y me ciega también ha despertado los sonidos: el crujido de mis botas en la nieve, los perros invisibles y ateridos, el aullido de la brisa por el andén vacío. Y ese rumor lejano, como de hierros negros, que comienza a acercarse lentamente. Lentamente.

Los escasos viajeros me han mirado con más sueño que sorpresa. Quizá les ha extrañado mi palidez mortal —los días bajo tierra— y la evidente antigüedad de estas botas y este abrigo que un día fueron de mi padre y que hoy me acompañan a mí en este largo viaje hacia el olvido o hacia la muerte. Quizá les ha extrañado mi silencioso nerviosismo; pero apenas me han mirado brevemente, distantes, sin sorpresa, y han seguido dormitando en sus asientos.

Yo busco el mío junto a una ventanilla, cerca de la

puerta. Dejo la maleta en el suelo, entre las piernas, y, ya sentado, con la gorra inclinada hacia los ojos, repaso mentalmente mi equipaje inconfesable: el dinero cosido en el forro del abrigo, la documentación falsa, la pistola que tiembla como hielo entre mis dedos, en el bolso, y ese plano arrugado, escondido en el fondo de las botas, que intentará ayudarme a atravesar de noche y por el monte la frontera. En el andén ya ha sonado la campana. Fría. Deshecha por el viento. Y el tren se pone en marcha muy despacio. Poco a poco, por el cristal empañado y helado, veo alejarse el andén solitario y el viejo edificio del apeadero. Poco a poco, por el cristal empañado y helado, veo alejarse entre los árboles las nevadas montañas de Illarga donde se quedan para siempre nueve años de mi vida y el recuerdo imborrable de los amigos muertos. Miro a mi alrededor: todos duermen. Me encojo bajo el peso del abrigo. Recuesto la cabeza en el respaldo del asiento. Sólo oigo ya el rumor negro y frío del tren que me arrastra. Sólo hay ya nieve dentro y fuera de mis ojos.

Índice

ESTE LIBRO HA SIDO IMPRESO
EN LOS TALLERES DE
LIBERDÚPLEX, S. L.
CONSTITUCIÓ, 19. BARCELONA

booket